CRIME FILES

LES GRANDS DOSSIERS CRIMINELS MODERNES

CRIME FILES
LES GRANDS DOSSIERS CRIMINELS MODERNES
John Marlowe

© Original Découverte, 2012
Une marque des Éditions Music & Entertainment Books
16, rue Albert-Einstein – Marne-la-Vallée
77420 Champs-sur-Marne, France

Première édition pour la langue française © Talents Publishing LLC, 2012
Copyright © 2012 Arcturus Publishing Limited
Titre original : *Crime Files, Chilling Case Studies of Human Depravity*
ISBN 978-2-36581-001-2
Traduit de l'anglais par Isabelle Chelley
Tous droits réservés.

© Tous droits réservés.
Directeur éditorial : Eddy Agnassia
Collection coordonnée par Flore Law de Lauriston
Mise en page : Anthony Gaucher

CRIME FILES

LES GRANDS DOSSIERS CRIMINELS MODERNES

John Marlowe

Original Découverte

SOMMAIRE

INTRODUCTION

D ans les plus petits commissariats de police, on peut trouver des milliers de dossiers. Ils sont en général rangés dans des tiroirs de bureaux, des casiers métalliques et de grandes pièces supervisées par des employés spécialement formés pour cette tâche. La grande majorité des dossiers que reçoivent ces hommes et femmes concernent des banalités : casiers judiciaires, comptes-rendus de garde à vue, etc. Cependant, de temps en temps, un employé se retrouve avec un dossier contenant des informations qui ont fait la une de la presse mondiale.

Nous autres profanes avons une idée du travail de la police, souvent déformée par les médias et les émissions de faits-divers à la télé, sans être conscients de la masse de papier consacrée aux actes criminels et aux enquêtes.

Prenons l'affaire – ou plutôt les affaires – Carl Panzram, en exemple. Sa carrière criminelle a débuté à la fin du XIXe siècle, lorsqu'à l'âge de 8 ans, il fut interpellé par la police pour état d'ébriété sur la voie publique. Au cours des trois décennies suivantes, Panzram fut arrêté à huit reprises au moins. La multitude de crimes qu'il commit, du vol à l'incendie volontaire, du viol à l'assassinat, fit l'objet d'enquêtes dans plusieurs services de police. Des dossiers à son nom se trouvent dans les états du Minnesota, de l'Oregon, de New York, du Massachusetts, du Connecticut, du Maryland, de Pennsylvanie et du Kansas. Panzram les alimenta lui-même en rédigeant son autobiographie en prison. Ce document remarquable de 20 000 mots est bien plus long et détaillé que tous les aveux faits à des représentants de l'ordre, mais contient aussi des informations sur des crimes qui avaient échappé aux enquêteurs. En écrivant ses mémoires, le criminel commit sans doute son acte le plus honnête.

Panzram fut pendu pour ses divers méfaits. Ses derniers mots furent adressés à son bourreau : « *Dépêche-toi, espèce de salaud ! Pendant que tu tournes en rond, j'aurais eu le temps de tuer dix personnes.* »

Cette rencontre déplaisante sur l'échafaud eut lieu en 1930. Malgré les efforts de plusieurs personnes – dont Henry Lesser, un gardien de prison qui s'était lié d'amitié avec Panzram – ses mémoires ne furent publiées qu'en 1976.

The Carl Panzram Papers, le recueil de Lesser d'écrits par et sur Panzram, se trouve à l'Université de San Diego.

Panzram, le plus ancien criminel abordé dans cet ouvrage, a quelque chose en commun avec le dernier en date traité ici, Anders Breivik : ils ont tous deux ajouté des écrits accablants à leurs dossiers respectifs.

Le document de 1513 pages de ce dernier, *2083 – Une Déclaration d'indépendance européenne* détaille ses mobiles, ainsi que les énormes préparatifs qu'il effectua avant de commettre son attentat. Entre manifeste et aveux, il s'est aussi avéré être, en grande partie, un plagiat.

Breivik recopia des passages entiers de travaux attribués à l'American Free Congress Foundation (un *think tank* conservateur américain), au blogueur d'extrême droite Peder Jenson et à l'Unabomber Ted Kaczynski. Cependant, les accusations de plagiat semblent bien futiles comparées aux autres crimes de Breivik.

À l'inverse du manuscrit de Panzram, il n'y eut pas besoin d'attendre pour découvrir ce manifeste. Breivik publia le document entier sur internet juste avant de passer à l'acte.

À l'ère numérique, les services de police continuent à produire des documents sur papier, tout en trouvant de plus en plus de preuves sous forme informatique. Par exemple, en novembre 2009, le colonel Russell Williams des Forces canadiennes laissa un message menaçant sur l'ordinateur d'une de ses victimes. Trois mois plus tard, en perquisitionnant le domicile du meurtrier à Ottawa, la police découvrit plusieurs clés USB contenant des preuves de ses crimes.

Stephen Griffiths, l'autoproclamé « cannibale à l'arbalète » anglais, était très présent sur internet. Chez lui, sous le pseudonyme de « Ven Pariah », il fréquentait les réseaux sociaux où il se décrivait comme un démon. Griffiths avait également son propre site sinistre, « The Skeleton and the Jaguar », consacré aux tueurs en série. Deux de ses meurtres ont été filmés. Le plus connu, consigné par une caméra de surveillance dans l'entrée de son immeuble, a permis son arrestation et fut diffusé dans le monde entier. Il filma lui-même avec son téléphone le deuxième. Les images de cette scène d'horreur, visionnées seulement par les enquêteurs, furent détruites après la condamnation du cannibale à l'arbalète.

Certains des actes criminels abordés ici remontent à près de cent ans. Ils commencent à une époque où la plupart des gens n'avaient pas accès à la photo et s'achèvent à l'ère où les meurtriers ont des comptes Facebook. Il n'est pas certain que le passé était plus sûr, mais la violence y était sans doute moins visuelle.

John Marlowe
Montréal, Québec, Canada

LE SECRET
SINISTRE DU COLONEL

Nom : Russell Williams

Date de naissance :
7 mars 1963

Profession : colonel dans les
forces armées canadiennes

Précédentes condamnations :
aucune

Nombre de victimes : 2

En mai 2005, Russell Williams, membre respecté des forces armées canadiennes, commandait des vols transportant la reine Élisabeth et le prince Philippe pend ant le voyage du couple royal anglais dans le pays. Il assura des fonctions similaires pour les Premiers ministres Paul Martin et Stephen Harper. Son image publique symbolisait le devoir, la responsabilité et la confiance, apparences qui allaient s'avérer trompeuses.

David Russell Williams naquit le 7 mars 1963 à Cardiff, dans le Pays de Galles, mais passa – et passera – pratiquement toute sa vie au Canada. Bien que bouleversé par le divorce de ses parents et le remariage de sa mère avec un ami de la famille, son enfance fut plutôt confortable. Il fréquenta des écoles publiques et privées, achevant ses études en 1968 avec une licence en économie et sciences politiques à l'Université de Toronto. Puis il prit tout le monde par surprise : influencé par le film *Top Gun*, avec Tom Cruise dans le rôle d'un pilote de chasse casse-cou, Williams entra dans les forces armées canadiennes. Pour certains, ce changement d'orientation soudain parut surréaliste : Williams n'avait jamais manifesté d'intérêt pour l'armée.

Pourtant, malgré les doutes de ses amis, Williams prit goût à cette nouvelle carrière. En 1990, il devint pilote et fut promu capitaine le jour de l'An 1991. En 23 ans de carrière, Williams reçut des responsabilités de plus en plus importantes. Il pilota des jets pour des VIPs, travailla à la Direction générale des Carrières Militaires et fut nommé commandant du 437e Escadron. Après une mission de six mois dans le golfe Persique, où il fut aux commandes du très secret Camp Mirage, Williams fut affecté au Quartier Général de la Défense nationale à Ottawa.

LE MILITAIRE PARFAIT

Williams fut promu colonel et, en juillet 2009, nommé commandant de la base aérienne des forces armées (CFB) Trenton en Ontario, la plus importante du Canada. Pour ses supérieurs, Williams avait l'air du militaire parfait. Il était considéré comme un bon chef, organisé et compétent en matière d'administration. Le général Angus Watt, alors commandant des forces canadiennes, le décrivait comme *« étonnamment calme, très logique, très rationnel »*. Le colonel était aussi très à son aise pour parler aux médias.

Cette caractéristique était particulièrement importante pour les gradés. Pendant la guerre en Afghanistan, la CFB Trenton servit de point de départ aux soldats partant à l'étranger. C'était

Mission de confiance : Williams servit de pilote pour des dignitaires au Canada.

là que les hommes et les femmes servant en Afghanistan effectuaient leurs derniers pas sur le sol canadien… Et là aussi que les morts reviendraient. La responsabilité était énorme, mais le travail avait certains avantages. En tant que commandant, Williams était logé sur la base. Cette maison confortable devint son troisième foyer. Il possédait un cottage dans Cozy Cove Lane à Tweed, une jolie ville de 5 000 habitants, à une heure de route de Trenton. Situé en face du lac Stoco, il bénéficiait d'une très belle vue dont Williams ne profitait pas souvent. Son voisin, Larry Jones, se souvient que le colonel était un homme occupé, qui entrait et sortait à toute heure du jour et de la nuit. *« Ce type se levait en pleine nuit et partait en pleine nuit. Je ne le voyais jamais. Il avait une télécommande pour son garage et entrait directement comme ça. Je me suis dit, c'est un type débordé, commandant d'une base et tout. »*

Sa femme, Mary-Elizabeth Harriman, vivait en général dans leur troisième maison, à Ottawa. À mi-chemin entre Trenton et la capitale, le cottage servait de lieu de rencontre pour un couple qui passait plus de temps séparé qu'ensemble.

Pour certains de leurs amis, leur relation paraissait un peu étrange. Williams n'avait eu qu'une petite amie à l'université.

Quand cette relation s'était achevée, il n'avait pas fréquenté de femme pendant une décennie. Son mariage en 1991 surprit beaucoup de ses proches.

PULSION ÉTRANGE

La femme de Williams venait le week-end dans le cottage de Cozy Cove, mais pas de façon régulière. Il est peu probable qu'elle était présente à Tweed à l'automne 2007, lorsque son mari commença à semer la peur dans la petite ville. Au départ, il y eut un peu d'inquiétude : en rentrant chez elle, une jeune femme aperçut un homme en jogging qui tentait de la cambrioler. Le coupable prit peur et s'enfuit. Elle pensa qu'il s'agissait d'un adolescent du quartier.

Personne ne soupçonna le colonel. Cependant, on signala vite d'autres cambriolages. L'intrus ne semblait pas s'intéresser à l'argent, aux bijoux, ou à l'électronique. Il ne volait que de la lingerie, des maillots de bain et des chaussures de femme. Williams cambriola plus de 42 maisons à Tweed, à raison de deux par soirée parfois. Il s'introduisit entre autres dans trois maisons voisines de son cottage. Certaines infractions étaient bien visibles, mais souvent, Williams se donnait du mal pour ne laisser aucune trace de son crime.

Si personne ne fit le lien à l'époque, les vols étaient assez similaires à ceux qui s'étaient produits à trois heures de là, dans les alentours de sa maison d'Ottawa. En janvier 2007, il pénétra dans un pavillon voisin, vola les sous-vêtements d'une adolescente et laissa ce qui fut décrit comme « des traces d'ADN » sur une commode. Jusqu'à fin 2009, Williams se livra à deux douzaines d'infractions semblables dans son voisinage. Il s'empara de plus d'un millier de vêtements. Une atmosphère de tension se mit à planer sur la communauté et les habitants commencèrent à craindre pour leur sécurité. Leur inquiétude était compréhensible : la fréquence des vols augmentait. Dans les mois qui suivirent la promotion de Williams à

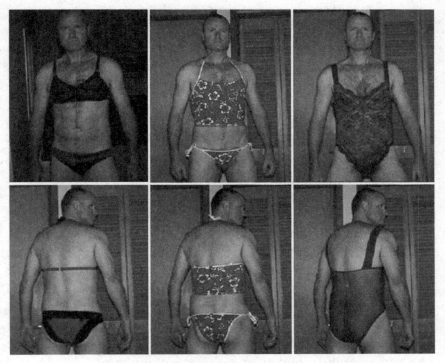

Williams aimait se photographier dans les sous-vêtements de ses victimes.

la base de Trenton, dix maisons furent cambriolées à Tweed. Pour les enquêteurs, c'était devenu une routine. Le coupable dérobait de la lingerie, des maillots de bain, des chaussures et des peignoirs, voire quelques photos. Il laissait parfois des traces d'ADN.

Cependant, le 17 septembre 2009, quelques heures après son retour d'un voyage en Haut-Arctique, les habitudes de Williams changèrent de façon troublante. Aux alentours de minuit, une jeune mère de Tweed fut réveillée par un intrus masqué. Pendant deux heures, elle fut agressée sexuellement, menacée et photographiée. Son bébé de huit mois qui dormait à proximité ne fut pas blessé.

Le lendemain soir, alors que la police menait l'enquête, Williams retourna dans la maison où il avait violé sa victime. Une semaine plus tard, après une journée passée à la base de Trenton avec le ministre de la Défense, Peter MacKay, il s'introduisit une troisième fois dans la même résidence.

Avec ce viol, le mode opératoire déviant de Williams avait changé. Avant la fin du mois, le colonel entra par effraction dans une maison proche de la sienne. Ce n'est qu'au bout de trois fois qu'il rencontra quelqu'un. Comme la première – et les suivantes – sa victime était une femme qui se trouvait seule chez elle. Williams la menaça, lui banda les yeux, l'attacha sur une chaise et découpa ses vêtements. Deux heures et demie durant, il l'étrangla, la battit, la viola et la photographia. Au cours de son cauchemar, la victime pensa reconnaître la voix de son agresseur.

Au matin, Tweed fut envahi par la police de la province d'Ontario. Les enquêteurs passèrent Cozy Cove Lane au peigne fin, mais Williams n'était pas chez lui. C'était sans importance puisqu'en apprenant qu'il était commandant de la base de Trenton, les policiers le jugèrent au-dessus de tout soupçon. Ils se focalisèrent sur son voisin, Larry Jones, propriétaire d'une des maisons cambriolées. La deuxième victime d'agression sexuelle supposait que la voix qu'elle avait identifiée était celle de Jones. Des semaines passèrent avant qu'il ne soit innocenté.

Alors que son voisin était soupçonné, la voie choisie par Williams devint encore plus sinistre. Mi-novembre, il pénétra dans la maison d'une femme qui enseignait la musique à la base de Trenton. Le colonel vola des sous-vêtements et des sextoys et laissa un message d'intimidation sur son ordinateur. Sa victime ne constata sa visite qu'après coup. Dans un sens, elle avait eu de la chance.

Sa victime suivante, Marie France Comeau, avait aussi des liens avec la base. Caporal de 38 ans des forces armées, elle vivait dans la ville voisine de Brighton, à un quart d'heure de son lieu de travail.

Le 25 novembre, trois jours après la fin d'une mission auprès du Premier ministre Stephen Harper en Extrême-Orient, on retrouva le cadavre de Comeau chez elle. Elle avait été étranglée.

Ce jour-là, en tant que commandant de la base, Williams envoya une lettre à la famille de la femme assassinée. *« N'hésitez pas à me dire si je peux faire quelque chose pour vous, »* écrivit-il. Cependant, son soutien s'arrêta là. Le colonel n'assista pas aux obsèques.

Quelques semaines s'écoulèrent avant le meurtre suivant. Sa victime, Jessica Lloyd, 27 ans, vivait seule au bord de la nationale 37, dans une petite maison que le criminel avait vue des dizaines de fois en se rendant de Trenton à Tweed.

La dernière trace de vie de Lloyd fut un message qu'elle envoya à une amie le soir du 28 janvier 2010. Personne ne remarqua quoi que ce soit d'anormal ensuite, jusqu'à son absence au travail le lendemain matin. Les recherches effectuées à son domicile ne calmèrent pas les inquiétudes : on y retrouva ses papiers, ses clés et son téléphone portable.

Les recherches durèrent plus d'une semaine. La police locale et une équipe de la base de Trenton y participèrent. Puis, alors que le mystère s'épaississait, les enquêteurs eurent un coup de chance. Deux hommes signalèrent que le soir de sa disparition, ils avaient remarqué un monospace garé au milieu d'un champ bordant sa maison. Même si quelques jours s'étaient écoulés, les traces de pneus – bien particulières – étaient conservées dans la neige gelée.

Un barrage routier fut établi sur la nationale. Le 4 février, une semaine après le signalement de la disparition de Lloyd, Williams se retrouva parmi les centaines de conducteurs interrogés par la police. Après un bref échange, il put poursuivre sa route. Le colonel ignorait qu'au cours de ces quelques minutes, il était devenu le principal suspect. Dès lors, il fut surveillé par la police.

Les enquêteurs avaient, une fois encore, bénéficié d'un coup de chance. Ce jour-là, Williams était au volant de son monospace et non de sa BMW qu'il préférait. Au bout de trois jours, la police appela Williams chez lui, lui demandant de venir répondre à quelques questions au commissariat central d'Ottawa. Selon certains rapports, le colonel arriva, persuadé qu'elles porteraient sur Larry Jones, son voisin.

LA FIN DE LA PARTIE

Au lieu de quoi le colonel fut soumis à un interrogatoire mené par l'inspecteur Jim Smyth de l'unité des sciences comportementales de la police de la province d'Ontario. L'enregistrement des dix heures qui suivirent est aujourd'hui étudié par des policiers du monde entier afin de leur apprendre à obtenir des aveux.

C'était, d'une certaine façon, une partie d'échecs psychologique où un homme très intelligent fut battu par un autre. Pourtant, Smyth fit attention de ne pas se présenter comme un opposant. Au contraire, il lui soumit calmement des preuves qui menèrent à cet échange, au bout de cinq heures :

> **Smyth** : *Tu sais ce que je suis en train de faire, Russ ? Je fais tout mon possible pour toi, mon gars. Vraiment. Je ne sais pas quoi faire d'autre pour que tu comprennes les répercussions de ce qui se passe là. On peut discuter ?*
> **Williams** : *Je veux minimiser les répercussions sur ma femme.*
> **Smyth** : *Moi aussi.*
> **Williams** : *Alors comment fait-on ?*
> **Smyth** : *Tu commences par me raconter la vérité.*
> **Williams** : *OK.*
> **Smyth** : *OK. Alors, où est-elle [Jessica Lloyd] ?*
> **Williams** : *Vous avez une carte ?*

Pendant son interrogatoire, la police, grâce à des mandats de perquisition, passa au peigne fin ses maisons à Orleans et Tweed. Elle découvrit la lingerie, les maillots de bain, les peignoirs et les chaussures volés. Il avait aussi dérobé les photos de plusieurs femmes chez qui il s'était introduit. Mais il y avait beaucoup d'autres clichés : les milliers que Williams avait pris des deux femmes qu'il avait agressées sexuellement, ainsi que celles qu'il avait tuées. Les autres le montraient arborant les sous-vêtements volés. Le colonel avait sans le vouloir facilité l'enquête avec un carnet où il avait noté les dates et les adresses de ses crimes, ainsi que l'inventaire des objets dérobés.

Le lendemain de son interrogatoire et de ses aveux, Williams conduisit la police jusqu'au corps de Jessica Lloyd, abandonné dans une zone boisée à dix minutes du cottage de Cozy Cove.

Williams fut accusé de deux assassinats, de deux viols, de deux séquestrations et de 82 faits de vol et d'effraction. Dans l'attente de son procès, le colonel tenta de se suicider en s'enfonçant un rouleau de papier toilette dans la gorge, mais les gardiens le sauvèrent.

Le 22 octobre 2010, l'homme qui avait été un jour chargé de la sécurité de la reine Élisabeth et du prince Philippe reçut deux condamnations à perpétuité, quatre peines de dix ans pour séquestration et viol et 82 peines d'un an pour vol. Le jour même, il fut dégradé et dépouillé de ses médailles, détruites ensuite avec son uniforme, un geste sans précédent.

ÉPILOGUE

- **Découverte capitale** : Traces de pneus particulières sur la scène de crime.

- **Attitude au tribunal** : Abattu.

- **Défense** : « Pourquoi ? Je ne connais pas les réponses. Et je suis sûr que les réponses sont sans importance. »

- **Condamnation** : deux perpétuités, quatre peines de dix ans pour séquestration et viol et 82 peines d'un an pour vol.

LE CANNIBALE À L'ARBALÈTE

Nom : Stephen Griffiths

Date de naissance :
24 décembre 1969

Profession : Étudiant

Surnom : Le cannibale à l'arbalète,
l'homme lézard

Précédentes condamnations :
Agression, vol à l'étalage

Nombre de victimes :
3 (au moins)

Diplômé de psychologie et étudiant en doctorat en criminologie, Stephen Griffiths restera dans les mémoires comme le « cannibale à l'arbalète ». Ce surnom horrible n'est pas une invention de la presse populaire, puisqu'il se l'est lui-même décerné. Le 28 mai 2010, en jeans et chemise noire, il s'est levé et s'est présenté sous ce nom devant un tribunal bondé.

Sa déclaration donna froid dans le dos à la foule qui n'avait pas idée de ce qu'il avait fait aux trois femmes qu'il avait assassinées. Lorsqu'un greffier lui demanda son adresse, le cannibale à l'arbalète répondit : *« ici, je suppose »*. Ces brèves répliques firent partie d'un numéro de trois minutes qui s'acheva lorsque le quadragénaire donna sa date de naissance.

Stephen Shaun Griffiths naquit à Dewsbury, dans le Yorkshire de l'ouest, le 24 décembre 1969 – comme tous les gamins, il était impatient de fêter Noël, disaient ses parents en blaguant. Aîné de trois enfants, Shaun, son prénom d'usage à l'époque, était maigre. Avant d'être le cannibale à l'arbalète, il fut surnommé le bonhomme allumette.

À l'inverse de son frère et sa sœur, il était calme et replié sur lui-même. « *On ne savait jamais ce qu'il pensait,* remarqua l'un de ses oncles. *Il était très solitaire.* »

Griffiths ne s'intéressait pas au football ou aux jeux des garçons de son âge. Ce qui ne veut pas dire qu'il passait inaperçu. Un voisin se souvient qu'enfant, le futur meurtrier avait l'habitude de tuer et de démembrer les oiseaux : « *On avait l'impression qu'il y prenait plaisir. Il ne les disséquait pas, il les déchiquetait.* »

PROBLÈMES

Quand Griffiths était encore très jeune, ses parents se séparèrent. Il s'installa avec sa mère, sa sœur et son frère dans la ville voisine de Wakefield. Il fréquenta la Queen Elizabeth Grammar School, la même école privée sélect que le tueur en série John George Haigh, « le meurtrier au bain d'acide ».

Élève sérieux, Griffiths avait souvent des démêlés avec la loi en dehors des cours. Jeune adolescent, il commit un vol dans un garage. À 17 ans, il blessa au couteau le directeur d'un supermarché qui venait de l'empêcher de voler à l'étalage. Griffiths fut condamné à trois ans de prison et effectua une partie de sa peine dans un hôpital psychiatrique de haute sécurité. Un médecin fit le diagnostic suivant : « *psychopathe sadique et schizoïde* ». Un autre signala que le jeune homme avait « *une préoccupation pour le crime – en particulier, les crimes multiples* ». Griffiths annonça à son contrôleur judiciaire qu'il pensait un jour devenir tueur en série.

Photos des victimes, Susan Rushworth, Suzanne Blamires et Shelley Armitage fournies par la police.

Trois ans plus tard, Griffiths retourna en prison, cette fois pour avoir menacé une jeune fille d'un couteau. Il fut incapable d'expliquer son geste.

Peu après sa libération, le futur cannibale à l'arbalète eut à nouveau des ennuis, cette fois pour possession de deux carabines à air comprimé et port d'arme blanche dans un lieu public. Malgré ses années d'incarcération, ses arrestations et sa conduite imprévisible et antisociale, Griffiths parvint à décrocher un diplôme de psychologie de l'Université de Leeds. Il fut admis à l'Université de Bradford où il entama six années de travail sur une thèse, « L'homicide dans une ville industrielle », comparant les techniques de meurtres récents à Bradford et celles de la deuxième moitié du 19e siècle. Griffiths incorpora une partie de ses recherches dans « The Skeleton and the Jaguar », son site internet principalement consacré aux tueurs en série.

Il passait une bonne partie de son temps sur internet à hanter les réseaux sociaux. Griffiths s'y présentait comme « Ven Pariah... Le misanthrope qui apporta la haine au paradis », et sous ce masque, postait ses pensées dérangeantes. « *L'humanité,* écrivit-il un jour, *n'est pas simplement une condition biologique. C'est aussi un état d'esprit. Sur cette base, je suis un pseudo humain, au mieux. Un démon au pire.* »

Ses relations avec les femmes étaient violentes et de courte durée. Pourtant, il eut au moins un enfant. Griffiths fut arrêté à de multiples reprises pour violences domestiques et comparut au tribunal une fois pour avoir laissé des messages menaçants sur la boîte vocale d'une ex-petite amie.

HABITUDES SINISTRES

Depuis l'adolescence, Griffiths était l'un de ceux que les médias décrivent comme étant « connu des services de police ». En 2008, cette attention s'intensifia quand des bibliothécaires locaux indiquèrent qu'il avait emprunté des livres sur le démembrement des êtres humains. Ce signalement coïncida avec des problèmes dans l'immeuble où il louait un petit appartement. Les hommes étaient menacés, tandis que les femmes se retrouvèrent sujettes à des attentions déplacées. Deux voisines rapportèrent que Griffiths, jusqu'à lors poli et amical, s'était montré très hostile une fois ses avances rejetées.

Alarmés, les gestionnaires de l'immeuble installèrent des caméras de surveillance et un bouton d'appel d'urgence pour le gardien. Un des cadres de la société qui possédait le bâtiment était convaincu que Griffiths risquait de commettre un meurtre sans tarder... Ce qu'il fit, bien entendu.

Il est vraisemblable qu'on ne connaîtra jamais le nombre de femmes tuées par Stephen Griffiths. Il finit par citer trois victimes, la première étant Susan Rushworth, 43 ans.

Cette prostituée souffrant de dépendance à l'héroïne fut vue pour la dernière fois près de chez elle, peu avant minuit le 22 juin 2009. Dans les mois qui suivirent, la police fit de nombreux appels aux citoyens pour obtenir des renseignements sur sa disparition.

Les autorités ignoraient – et soupçonnaient peut-être – que Susan Rushworth était morte depuis longtemps. Il est presque certain que Griffiths la tua le soir de sa disparition.

Le 26 avril 2010, une autre prostituée, Shelley Armitage, 31 ans, disparut alors qu'elle travaillait dans les rues du centre de Bradford. Personne ne s'en aperçut initialement et deux jours s'écoulèrent avant que son absence ne fût signalée.

Moins d'un mois plus tard, le vendredi 21 mai, on perdit la trace de Suzanne Blamires dans les mêmes circonstances. Le mystère entourant la disparition de cette travailleuse du sexe ne dura cependant qu'un week-end.

Des arbalètes photographiées chez Griffiths : la tête de Suzanne Blamires, transpercée d'une flèche, fut retrouvée dans un sac dans la rivière Aire à Shipley.

Nous savons qu'elle accompagna Griffiths chez lui, sans doute de son plein gré et qu'elle tenta aussi de partir. Les caméras de sécurité installées dans l'immeuble de Griffiths filmèrent sa mort brutale et expéditive. Sur ces images de mauvaise qualité, on peut voir Blamires sortir de l'appartement de Griffiths, poursuivie par l'étudiant. Il l'assomme et la laisse étendue dans le couloir. Quelques instants plus tard, il revient avec une arbalète, vise et lui tire une flèche en pleine tête. Avant de traîner le corps chez lui, il lève son arme vers la caméra en signe de triomphe. Puis il revient avec un verre, apparemment pour porter un toast à son crime. Plus tard, on voit le meurtrier transporter une série de sacs-poubelles hors de l'immeuble.

Le gardien fut le premier à visionner ces images. Il appela la police – après avoir vendu l'histoire à un journal à scandales. Griffiths fut arrêté quelques heures après. Quand on lui demanda de confirmer son identité, il répondit : « *Je suis Oussama ben Laden* », avant d'ajouter, d'un ton énigmatique : « *Je n'ai pas tué que*

Un expert médicolégal se tient dans une zone voisine de l'immeuble de Griffiths.

Suzanne Blamires – j'en ai tué plein. Peter Sutcliffe [l'éventreur du Yorkshire] *s'est planté à Sheffield. Moi aussi, mais au moins, j'ai quitté la ville.* » Les forces de l'ordre passèrent son domicile et les environs au peigne fin dans l'espoir de retrouver Blamires et d'autres disparues. Les murs du petit appartement étaient couverts d'étagères croulant sous les films d'horreur et les livres sur les tueurs en série, le terrorisme et les génocides. Griffiths ne vivait pas réellement seul : il avait deux lézards et élevait des rats pour les nourrir.

Le premier cadavre ne fut pas retrouvé par la police, mais par un citoyen ordinaire dans la rivière Aire. Coupé en 81 morceaux au moins, il n'était pas complet. Les plongeurs récupérèrent une valise noire contenant les instruments utilisés par Griffiths pour la dissection. Comme cela fut confirmé dans les jours suivants, le tueur avait mangé plusieurs kilos de viande prélevés sur ses victimes. Les restes humains furent identifiés comme étant ceux de Blamires, sans l'aide de test ADN, puisque sa tête, perforée d'une flèche, fut retrouvée dans un sac à dos. Griffiths avait également planté un couteau dans son crâne.

UN « ABATTOIR » DANS LA BAIGNOIRE

Au cours des interrogatoires, l'homme qui parlait sans cesse sur internet se montra réservé. Lorsqu'on lui demanda pourquoi il éprouvait le besoin de tuer, il resta d'abord muet. « *Je ne sais pas* », dit-il. Puis il ajouta : « *Parfois on tue quelqu'un comme si on voulait se tuer, ou tuer une part de soi. Je ne sais pas, je n'en sais rien. Ce sont des problèmes enfouis profondément en moi.* »

L'enquêteur insista : « *Mais pourquoi avez-vous éprouvé le besoin de tuer l'une de ces filles ?*

– Je ne sais pas, finit par répondre Griffiths. *Je suis misanthrope. Je n'ai pas beaucoup de patience envers l'espèce humaine.* »

Peu à peu, Griffiths se montra plus disert et livra à la police des détails macabres sur les meurtres. Il qualifia sa baignoire

« *d'abattoir* » puisqu'il y avait démembré ses victimes. Il avait utilisé des outils électriques pour les deux premiers corps, faisant bouillir les morceaux qu'il avait mangés.

Blamires avait été découpée à la main et sa chair fut dévorée crue. « *Cela fait partie de la magie,* » raconta-t-il pour expliquer son goût pour la chair humaine.

Si Griffiths ne donna pas de détail sur les assassinats, la police avait des preuves en vidéo.

La mort de Suzanne Blamires avait été enregistrée par les caméras de surveillance, mais ces images terribles pâlirent en comparaison de celles du meurtre de Shelley Armitage.

Griffiths avait immortalisé la fin de sa deuxième victime avec son téléphone mobile, qu'il oublia ensuite dans un train. L'appareil fut acheté et revendu deux fois avant que la police puisse le localiser. Le film qu'il contenait fut décrit par un inspecteur expérimenté comme l'un des plus dérangeants à sa connaissance.

On peut y voir Armitage nue et ligotée, les mots « *Mon esclave sexuelle* » bombés à la peinture noire dans le dos. On entend Griffiths dire : « *Je suis Ven Pariah, je suis l'Artiste du Massacre. Voici un modèle en train de m'aider.* »

Seule Susan Rushworth ne subit pas l'outrage d'être filmée alors qu'elle mourait. Les enquêteurs pensent qu'elle fut tuée à coups de marteau.

Le 21 décembre 2010, trois jours avant son 41e anniversaire, Griffiths plaida coupable de l'assassinat de Susan Rushworth, Shelley Armitage et Suzanne Blamires. Il fut condamné à la prison à perpétuité. (Bizarrement, il insista pour être défendu par le cabinet d'avocats Lumb & Macgill de Bradford qui s'était chargé du tueur en série Peter Sutcliffe au début des années quatre-vingt.)

Depuis sa garde à vue, Griffiths a tenté de se suicider à plusieurs reprises. Il a également fait une grève de la faim, perdant apparemment 18 kilos. Derrière les barreaux, Griffiths, le cannibale à l'arbalète, est redevenu le bonhomme allumette.

Signes alarmants : Cruauté envers les oiseaux pendant l'enfance ; obsession pour le crime de masse, renforcée par le choix de ses études

Façon d'agir : Violence de plus en plus forte envers les femmes, menant au démembrement et au cannibalisme

Découverte capitale : Images du troisième meurtre enregistrées par une caméra de sécurité

ÉPILOGUE

· **Attitude au tribunal** : Effronté initialement, abattu lors de sa condamnation.

· **Aveux** : « Je suis, ou du moins, une partie de moi, est responsable des meurtres de Susan Rushworth, Shelley Armitage et Suzanne Blamires que je connaissais sous le nom d'Amber. »

· **Condamnation** : Perpétuité sans possibilité de libération conditionnelle.

LA FERME DE LA MORT

Nom : Robert Pickton

Date de naissance :
25 octobre 1949

Profession : Agriculteur

Surnom : Le tueur de prostituées

Précédentes condamnations:
Tentative de meurtre (poursuites
abandonnées), infractions avec arme
à feu

Nombre de victimes : Entre 6 et 49

Quand Robert Service découvrit la Colombie-Britannique, le poète la décrivit comme étant plus belle que tout ce qu'il avait pu imaginer. La région la plus à l'ouest du Canada est célèbre pour sa beauté naturelle. Robert Pickton vivait au quotidien au milieu de ces merveilles, mais son décor était nettement moins attrayant.

Pickton habitait dans un élevage de porcs, un terrain boueux de 6 hectares à Port Coquitlam dont lui et ses frères et sœurs avaient hérité de leurs parents.

Quand il lui arrivait de sortir, Pickton se rendait souvent à 30 kilomètres de là pour traquer les droguées et les désespérées de Vancouver.

La plus grande ville de Colombie britannique a toujours attiré les fugueurs, les sans domicile fixe et tous ceux qui traversent une mauvaise passe.

Nichée près de l'Océan Pacifique, elle bénéficie d'un hiver bien plus clément que n'importe quelle autre grande cité canadienne. Les drogués trouvent de quoi s'approvisionner grâce aux substances illégales qui transitent en permanence via le port. Ceux qui rêvent de célébrité sont séduits par son industrie cinématographique : Vancouver est d'ailleurs surnommée la « Hollywood du Nord ».

Malheureusement, Vancouver est aussi l'une des villes les plus chères du Canada. En Amérique du Nord, seul Manhattan la dépasse. L'immobilier est hors de prix, les locations sont coûteuses et difficiles à dénicher. La cité, qui a la plus forte concentration de millionnaires en Amérique du Nord, possède aussi certains des quartiers les plus pauvres du pays. Peuplé de vieux bâtiments témoignant d'un passé révolu de grande zone commerciale, Downtown Eastside est une verrue dans ce cadre utopique. Les banques ont disparu il y a des années, tout comme les grands magasins. Les rares boutiques encore ouvertes sont celles des prêteurs sur gages. Devant leurs portes et dans les rues voisines, des prostituées – parfois seulement âgées de 11 ans – travaillent.

APPÉTITS MONSTRUEUX

Pickton ne s'attaquait pas aux enfants. On pense que sa première victime était une femme de 23 ans, Rebecca Guno, vue pour la dernière fois le 22 juin 1983. Sa disparition fut signalée trois jours plus tard – un délai très court comparé à beaucoup d'autres qui suivirent. Celle de la suivante, Sheryl Rail, ne fut rapportée qu'au bout de trois ans. Elles furent deux des six femmes que Pickton tua pendant la première décennie de sa carrière de meurtrier. Comme il arrivait que 28 mois séparent deux crimes, l'éleveur de porcs n'avait pas de méthode définie. Ces meurtres en apparence spontanés permirent à Pickton de ne pas attirer l'attention. Il fallut attendre les dernières années du siècle précédent pour qu'on soupçonne un tueur en série de sévir dans les rues les plus délabrées de Vancouver. Pickton avait alors redoublé les cadences. On estime qu'il tua neuf femmes pendant la deuxième moitié de 1997.

L'année suivante, les services de police de Vancouver se mirent à passer en revue les affaires de disparition de femmes sur près de trente ans. À l'époque, l'hypothèse d'un tueur en série était devenue un sujet de conversation même dans les beaux quartiers et pourtant, les forces de l'ordre la rejetaient.

Lorsque l'inspecteur Kim Rossmo aborda le sujet, il fut rapidement rappelé à l'ordre. *« Nous nous refusons à dire qu'il y a un meurtrier en série en liberté,* déclara son collègue, l'inspecteur Gary Greer. *Nous nous refusons à dire que les personnes disparues sont mortes. »*

La police avança que les femmes disparues étaient simplement parties. Après tout, les prostituées changeaient souvent de lieux et même de nom. Calgary, ville riche grâce à l'industrie pétrolière, à 970 kilomètres à l'est, fut citée comme destination vraisemblable.

Des années plus tard, le journaliste expérimenté Stevie Cameron fit cette remarque : *« Il n'y avait jamais de cadavre. La police n'aime pas enquêter sur une affaire où il n'y a pas de corps. »*

Alors que les forces de l'ordre niaient l'hypothèse d'un meurtrier en série, Pickton poursuivit sa sinistre carrière. Il massacra entre autres Marcella Creison. Libérée de prison le 27 décembre 1998, elle ne savoura jamais le dîner de Noël un peu tardif préparé par sa mère et son petit ami. Quatorze jours passèrent avant qu'ils ne rapportent sa disparition.

Les pistes étaient brouillées par le fait que certaines des femmes dont on avait perdu la trace avaient été retrouvées en vie. Patricia Gay Perkins, partie en laissant son fils d'un an, contacta la police de Vancouver en lisant son nom sur une liste de personnes disparues. Une autre femme fut localisée à Toronto et l'on constata qu'une troisième avait succombé à une overdose d'héroïne. Cependant, la liste s'allongeait, même si certaines affaires étaient résolues.

La mort de Dawn Crey, 43 ans, fut confirmée quand la police retrouva son ADN à la ferme.

Si la police acceptait, ne serait-ce qu'un instant, qu'il y ait un criminel en liberté, où pouvait-elle enquêter ? Il semblait y avoir un surplus de suspects – des dizaines de clients violents arrêtés pour des agressions au cours des deux décennies écoulées. Cependant, Robert Pickton n'en faisait pas partie.

Et pourtant, en 1997, Pickton se battit avec une prostituée à coups de couteau dans sa ferme et ils se retrouvèrent tous les deux soignés dans le même hôpital. Les infirmières retirèrent des menottes aux poignets de la femme en utilisant une clé que Pickton avait sur lui. Accusé de tentative de meurtre, les poursuites furent ensuite abandonnées.

En 1998, Bill Hiscox, l'un des employés de Pickton, contacta la police pour signaler une prétendue œuvre caritative, la Piggy Palace Good Times Society, dirigée par Robert et son frère, Daniel. Situé dans un bâtiment reconverti au sein de l'élevage, Hiscox affirmait qu'il ne s'agissait que d'un lieu de débauche peuplé par des prostituées sans cesse renouvelées.

Ce n'était pas la première fois que la police entendait parler de la Piggy Palace Good Times Society. Fondée en 1996, pour *« coordonner, gérer et organiser des événements, soirées, bals, spectacles et expositions au nom de sociétés de service, de sport et d'autres groupes méritants »,* elle avait constamment violé les règlements municipaux de Port Coquitlam. Certaines fêtes – très nombreuses – attiraient plus de 1 000 personnes dans une propriété réservée à l'agriculture.

Les activités étranges de la Piggy Palace Good Times Society auraient pu être un sujet d'inquiétude, mais Hiscox se focalisa avant tout sur les femmes disparues. L'employé de Pickton dit à la police qu'il y avait des sacs à main et d'autres effets pouvant permettre d'identifier les prostituées à la ferme.

Les policiers firent au moins quatre visites à la propriété de Port Coquitlam, dont une fois avec Hiscox, sans rien trouver. Robert Pickton devint alors l'un de ceux que l'ont décrit comme « une personne à surveiller ».

MISSION MEURTRE

Les années passèrent, des femmes continuèrent à s'évanouir dans la nature et l'idée qu'un tueur en série rôde dans Downtown Eastside fut écartée.

En 2001, le nombre de femmes disparues dans le voisinage était de 65, un chiffre que la police ne pouvait plus ignorer. En avril, une équipe d'enquêteurs spéciale fut créée. L'arrestation de Gary

Ridgway, sept mois plus tard par la police américaine, suscita un vague intérêt. Il avait tué de nombreuses prostituées dans la région de Seattle, à environ 240 kilomètres au sud de Vancouver. Ses crimes coïncidaient avec la disparition des femmes, mais très vite, on s'aperçut que Ridgway n'avait rien à voir avec les événements canadiens. L'équipe spéciale s'intéressa aux tueurs en série américains, dont le fétichiste du pied, Dayton Rogers, qui avait assassiné plusieurs prostituées dans l'Oregon.

Malgré tout, les disparitions ne s'arrêtèrent pas. Personne ne put prévoir les événements de février 2002.

Au début du mois, Pickton fut arrêté, emprisonné et accusé de diverses infractions, dont le port d'armes chargées sans permis. Munie d'un mandat de perquisition qui entraîna les accusations, la police découvrit des effets personnels appartenant à l'une des disparues.

Pickton fut relâché sous caution et placé sous surveillance. Le 22 février, il fut de nouveau gardé à vue – cette fois, accusé du meurtre de deux prostituées, Serena Abotsway et Mona Wilson. L'éleveur de porcs venait de passer son dernier jour en liberté.

Sa ferme ressembla bientôt au décor d'un film de science-fiction. Les enquêteurs et les experts médicolégaux en combinaisons stériles cherchèrent des traces des femmes disparues. Ils retrouvèrent plusieurs têtes dans un congélateur, des fragments humains dans un broyeur de végétaux, ainsi que dans une porcherie et dans la nourriture pour cochons. Ces découvertes furent faciles. Une équipe de 52 anthropologues se chargea du reste, passant au peigne fin cinq hectares de terre en quête d'os, de dents et de cheveux. Grâce à leur zèle, ils collectèrent 10 000 indices et, pour Pickton, 24 accusations de meurtre supplémentaires.

Mais pour les citoyens de Vancouver, en particulier les proches des victimes, cette avancée était survenue trop tard. La critique remplaça d'éventuelles louanges. Pourquoi la police n'avait jamais rien constaté de douteux en se rendant à la ferme quelques années auparavant ? Serena Abotsway, Mona Wilson et plusieurs femmes

La police passa la propriété de Pickton au peigne fin et y retrouva plus de 10 000 preuves.

dont des restes furent retrouvés sur la propriété avaient disparu après ces enquêtes initiales. Leurs vies auraient-elles pu être épargnées ?

On peut aussi se demander qui était ce Robert Pickton. Dix ans après avoir fait les gros titres en tant que tueur en série le plus actif au Canada, son portrait est encore un peu flou.

Outre l'argent, Pickton promettait aux prostituées de la drogue et de l'alcool si elles venaient au Piggy Palace. On pense qu'invariablement, il accusait ses victimes de le voler. Il les attachait, avant de les étrangler avec un fil de fer ou une ceinture. Pickton traînait alors les corps dans l'abattoir de sa ferme et utilisait ses talents de boucher.

Il enterra certains morceaux sur son terrain, en donna d'autres à manger aux cochons. Le reste fut écoulé par West Coast Reduction Ltd, une usine de transformation et de recyclage de déchets animaux, située tout près de la pire intersection du pays. En fait, des dizaines de prostituées arpentaient le trottoir tout à côté. Au final, une partie de leurs dépouilles se retrouvèrent dans des cosmétiques et de la nourriture pour animaux. Des tests permirent de détecter l'ADN de certaines victimes dans du porc trouvé à la ferme. Cette viande n'était jamais vendue, même si Pickton la distribuait à ses amis et voisins.

« CRUCIFIÉ »

Il fallut près de cinq ans et 100 millions de dollars pour préparer le procès de Pickton. L'agriculteur nia sa culpabilité à une exception : un policier qui se fit passer pour son codétenu. Ses paroles furent enregistrées par une caméra cachée : *« Je voulais en tuer une de plus, faire un compte rond de 50. C'est pour ça que j'ai été négligent. J'en voulais une de plus. Aller… aller jusqu'à 50. »*

Pickton sembla admettre qu'il était coincé, qu'il ne pouvait pas être jugé coupable d'une autre manière. *« Je crois que je suis crucifié,* raconta-t-il à son pseudo compagnon de cellule. *Mais si ça se produit, il y aura bien une quinzaine de personnes qui tomberont. »*

Cette déclaration renforça les soupçons sur le fait que les restes trouvés à la ferme n'étaient pas la seule œuvre de Pickton. Pourtant, le 22 janvier 2007, l'éleveur de porcs comparut seul au tribunal.

Le procès porta sur six meurtres parmi les 26 accusations pesant contre Pickton. Selon le juge James Williams, il aurait fallu près de deux ans pour traiter de toutes les charges, ce qui aurait été trop lourd pour le jury.

Au final, le procès dura près de 11 mois et fut le plus long de l'histoire du Canada. Pickton, qui avait plaidé non coupable, resta assis sans prêter attention aux 128 témoins qui défilèrent à la barre.

Personne ne fut surpris quand il fut déclaré coupable, mais les détails du verdict furent inattendus. Le 9 décembre 2007, après neuf longues journées de délibération, les jurés ne jugèrent Pickton coupable que de six meurtres. Ils n'étaient pas convaincus qu'il avait agi seul.

Robert Pickton fut condamné à la prison à vie et même s'il pourra faire une demande de liberté conditionnelle au bout de 25 ans, il est très peu probable qu'elle lui sera accordée.

ÉPILOGUE

· **Signes alarmants** : Attaque au couteau contre une prostituée.

· **Découverte capitale** : Preuves trouvées lors d'une perquisition pour un port d'arme illégal.

· **Attitude au tribunal** : Enclin à dessiner et à s'ennuyer. Distrait.

· **Déclaration du juge** : « La conduite de M. Pickton fut meurtrière à plusieurs reprises. Je ne connais pas les détails, mais je sais ceci : ce qui arriva aux victimes est insensé et méprisable. »

· **Condamnation** : Perpétuité.

L'HOMME QUI ENLEVAIT LES FEMMES

Nom : Phillip Garrido

Date de naissance :
5 avril 1951

Études : Baccalauréat

Profession : Imprimeur et ancien dealer

Précédentes condamnations :
Viol, enlèvement

Chefs d'accusation : Enlèvement, agression sexuelle

Baby-boomer né à côté de San Francisco, Phillip Garrido était persuadé qu'un jour, il serait célèbre. Jeune homme, il se croyait destiné à devenir rock star. Au fil des années, ce rêve s'estompa et laissa place à l'idée d'être un jour un personnage messianique. Au final, il connut une certaine forme de célébrité. Cependant, une seule personne admira Phillip Garrido : sa femme qui l'aida à commettre ses crimes odieux.

Phillip Craig Garrido vit le jour le 5 avril 1951 dans le comté de Contra Costa. Son père, Manuel, conducteur de chariot élévateur, offrait à la famille des revenus modestes, mais suffisants. On sait peu de choses de l'enfance de Phillip, en partie parce que son père demande de l'argent en échange de toute information au sujet de son fils.

Cela dit, cette période est sans doute sans importance et n'a pas contribué à créer le monstre qui fascina ensuite les médias. D'après certains qui connurent Phillip, sa conduite dangereuse et asociale débuta à la suite d'un accident de moto subi à l'adolescence. Même son père avait une opinion à partager à ce sujet. Selon Manuel, avant cet événement tragique, Phillip était un « bon garçon ». Et après ? Il devint incontrôlable et se mit à se droguer.

Malgré son comportement, Phillip quitta la Liberty High School avec son diplôme de fin d'études en poche en 1969, année où la contre-culture était omniprésente en Amérique. Phillip sembla épouser le mouvement. Il laissa pousser ses cheveux, acheta une veste en cuir frangée et se mit à jouer de la basse dans un groupe psychédélique. Mais en réalité, le jeune homme se moquait pas mal de la paix et de l'amour. À 18 ans, il avait déjà commis son premier viol et battait régulièrement sa petite amie, Christine Perreira.

En 1972, il fut accusé du viol d'une jeune fille de 14 ans à qui il avait fait prendre des somnifères. Phillip échappa à la prison quand sa victime refusa de témoigner. Les forces de l'ordre ne réalisèrent pas à l'époque qu'elles auraient pu l'inculper d'un autre crime : Phillip était devenu l'un des dealers les plus actifs du comté de Contra Costa.

Une fois lavé de l'accusation de viol, il épousa Christine. Le jeune couple s'installa à 300 kilomètres de là, à South Lake Tahoe. Dans cette petite ville, la drogue n'était plus la source de revenus principale de Phillip. Christine prit un emploi de croupière au Harrah's Casino, tandis que son mari poursuivit son rêve de devenir rock star.

PLAN TORDU

Trois ans s'écoulèrent sans que la gloire ne touche Phillip. Ses journées se passaient dans un brouillard causé par un mélange de marijuana, de cocaïne et de LSD. Il se masturbait pendant des heures en espionnant les élèves de l'école primaire en face de chez lui, mais en réalité, il s'intéressait à une femme.

Phillip la suivit pendant des mois au cours desquels il élabora un plan qu'il mit en branle en louant un entrepôt à Reno, à 100 kilomètres au sud. Il l'isola avec des tapis, puis apporta un matelas, des draps de satin, des bouteilles de vin et une collection importante de magazines pornographiques.

Quand son piège fut enclenché, Phillip prit quatre doses de LSD et attaqua la femme qu'il suivait depuis longtemps. Cependant, il était tellement drogué qu'elle réussit à lui échapper. Frustré, Phillip se rendit au Harrah's Casino, et demanda à une collègue de sa femme, Katie Calloway Hall, de le raccompagner chez lui.

Katie eut moins de chance que sa victime désignée. Elle fut violée à plusieurs reprises dans l'entrepôt de Reno. Au bout de huit heures

La victime, Jaycee Dugard, révéla que ses ravisseurs lui dirent qu'elle avait été enlevée pour *« résoudre le problème sexuel de Garrido »*.

de souffrance et d'humiliation, elle fut sauvée par un policier qui avait eu l'œil attiré par la porte laissée entrebâillée.

Cette fois, Christine abandonna Phillip. Après son arrestation, elle coupa tout lien avec son mari. Le divorce fut prononcé alors que Phillip commençait à servir une peine de 50 ans de prison à Leavenworth, au Kansas.

Cependant pour Phillip, il y avait encore de l'amour dans l'air. Derrière les barreaux, il se mit à correspondre avec la nièce d'un détenu, Nancy Bocanegra, de quatre ans sa cadette. En 1981, l'aumônier de la prison les maria. Phillip n'avait pas encore effectué un dixième de sa peine. En dehors des visites conjugales de Nancy, il étudia la psychologie et la théologie. La religion sembla devenir son centre d'intérêt. Né catholique, il se convertit et devint Témoin de Jéhovah. Son extrême dévotion fut citée par le psychologue de la prison comme le signe qu'il ne commettrait plus de crime.

Phillip fut remis en liberté conditionnelle en 1988. Avec Nancy, il retourna à South Lake Tahoe où ils passèrent près de trois ans sans histoire.

Le 10 juin 1991, il donna tort au psychologue de prison. Ce matin-là, Carl Probyn vit avec horreur sa belle-fille de 11 ans traînée de force dans une berline grise. Il n'était pas seul – plusieurs amies de la jeune fille assistèrent à l'enlèvement – et pourtant, personne ne put donner la plaque d'immatriculation de la voiture.

La victime, Jaycee Dugard, se retrouva bientôt à vivre dans des abris, des tentes et sous des bâches dans le jardin d'une maison du comté de Contra Costa. La propriété appartenait à la mère de Phillip, qui souffrait alors de démence. La vieille femme fut finalement envoyée dans un hôpital pour malades chroniques. Jaycee, bien sûr, resta sur place où elle subit des violences sexuelles aux mains de Phillip pendant 18 ans.

Elle eut deux filles de son ravisseur, nées en août 1994 et en novembre 1997. Elles décrivaient Jaycee comme étant leur sœur aînée. On ignore si elles savaient ou non la vérité.

Le cauchemar de la jeune fille aurait pu s'achever plus tôt. Ayant appris que Phillip était un délinquant sexuel connu, ses voisins le surveillèrent de près.

En 2006, l'un d'eux appela la police pour signaler que Phillip, *« un maniaque sexuel psychotique »*, faisait vivre une femme et plusieurs enfants sous des tentes dans son jardin. Un adjoint du shérif envoyé mener l'enquête interrogea Phillip sous son porche. Il ne se donna pas la peine de jeter un œil au jardin, ni de vérifier ses antécédents.

Deux ans plus tard, la police retourna dans la propriété de Phillip, accompagnée par des pompiers appelés pour éteindre un incendie.

BIZARRE ET EFFRAYANT

La conduite des policiers pouvait sembler négligente, mais elle pâlit devant l'incompétence des services de l'administration pénitentiaire et de la réinsertion de Californie. En tant que délinquant sexuel condamné, Phillip recevait la visite régulière de ses employés. Tous ces entretiens, programmés ou non, eurent lieu alors que Jaycee était dans le jardin. Pendant près de vingt ans, aucun agent du service ne chercha à en savoir plus sur la collection de tentes, de bâches et d'abris de Phillip.

Les forces de l'ordre ne pensaient peut-être pas que Phillip était un personnage douteux, mais ceux qui le voyaient au quotidien le trouvait bizarre, voire effrayant. Les parents du voisinage disaient à leurs enfants de ne pas s'approcher de chez lui. Il dirigeait une imprimerie, Printing for Less, mais en raison de son attitude, peu de clients revenaient. Ceux qui avaient affaire à lui subissaient souvent ses discours incohérents. Phillip leur expliquait comment il pouvait contrôler le son avec son esprit. Certains clients eurent la chance de voir une machine grâce à laquelle l'imprimeur affirmait communiquer avec Dieu. D'autres entendirent des chansons qu'il avait composées sur son attirance pour les jeunes filles mineures.

Phillip tenait un blog intitulé « Voices Revealed » (« Voix révélées »), dans lequel il tentait de convaincre les autres de sa

Nancy Garrido plaida coupable d'enlèvement et de complicité d'agression sexuelle.

relation particulière avec Dieu. Cet exutoire sembla l'encourager à écrire. En août 2009, il entra dans les bureaux du FBI de San Francisco pour remettre en mains propres deux gros volumes dont il était l'auteur : « L'origine de la schizophrénie révélée » et « Entrer dans la lumière ». Ce dernier était une histoire personnelle où Phillip racontait en détail son triomphe sur ses pulsions sexuelles violentes. Désireux d'aider les autres, il contacta Lisa Campbell, coordinatrice d'événements à l'Université de Californie à Berkeley, pour lui proposer une conférence. Phillip n'était pas seul quand il fit cette offre. Ses deux filles assistèrent à la rencontre, écoutant attentivement leur père parler de son passé déviant et des viols qu'il avait commis.

Lorsque Campbell signala cette conduite étrange au contrôleur judiciaire de Phillip, le cauchemar de Jaycee s'acheva enfin.

MOMENT DE VÉRITÉ

Interrogé le 26 août 2009, Phillip avoua qu'il avait enlevé Jaycee et ajouta qu'il était le père de ses enfants. Il fut placé en garde à vue avec Nancy.

Le 28 avril 2011, Phillip plaida coupable de l'enlèvement de Jaycee et d'agression sexuelle. Assise aux côtés de son mari, Nancy plaida coupable d'enlèvement et de complicité d'agression sexuelle. Au tribunal, leurs avocats dépeignirent leurs clients respectifs comme de bonnes âmes. Après 1997, l'année où ils avaient découvert Dieu, ils s'étaient consacrés à Jaycee et ses enfants – ou du moins, c'est ce qu'ils affirmaient.

Phillip espéra que ses aveux allègeraient la peine de Nancy. Qu'il y soit parvenu ou non est matière à débat. Ce qui est certain, c'est que la peine de Nancy fut moins lourde que celle de son mari. Phillip fut condamné à 431 ans d'emprisonnement et Nancy, à 36 ans. En admettant qu'elle vive jusque-là, Nancy Garrido aura 90 ans quand elle sortira de prison.

ÉPILOGUE

- **Découverte capitale** : Conduite étrange à l'Université de Californie, Berkeley.

- **Attitude au tribunal** : Calme.

- **Défense** : « Quelque chose de dégoûtant s'est produit en moi au début, mais j'ai totalement changé de vie. »

- **Déclaration de la victime** : « Phillip Garrido, tu es mauvais. Je n'aurais jamais pu te le dire auparavant, mais je suis libre à présent. Tout ce que tu m'as fait était mal et un jour, j'espère que tu t'en apercevras. »

- **Peine** : 431 ans.

LE MANIAQUE DE POLOGOVSKY

Nom : Serhiy Tkach

Date de naissance :
12 septembre 1952

Profession : Ouvrier agricole

Surnom : « Le maniaque de Pologovsky »

Précédentes condamnations :
Aucune (accusé d'escroquerie)

Nombre de victimes :
de 36 à plus de 100

De petite taille, calme et le regard fuyant, Serhiy Tkach n'avait pas l'air d'un meurtrier et pourtant, pendant un quart de siècle, il enchaîna les meurtres. Il est sans doute le tueur en série le plus prolifique de l'histoire de l'Ukraine. Après son arrestation, Tkach raconta à qui voulait l'entendre que le nombre de ses victimes dépassait la centaine. Ce n'était pas un aveu, mais de la vantardise. Tkach était, et demeure très fier des crimes qu'il a commis.

Serhiy Tkach naquit le 12 septembre 1952 à Kisseliovsk, une ville russe qui faisait alors partie de l'Union Soviétique. D'après les témoignages, il était bon élève, mais peu intéressé par l'école.

Après son service militaire obligatoire, Tkach poursuivit brièvement ses études afin de devenir policier. À l'obtention de son diplôme, il devint inspecteur à Kemerovo, une ville industrielle dans le centre du pays. Cependant, sa carrière dans les forces de l'ordre s'arrêta brutalement quand Tkach fut pris en flagrant délit d'escroquerie. Il échappa à la prison en envoyant une lettre de démission.

Tkach raconta qu'il commit son premier meurtre en 1980, peu après son départ de la police. Un après-midi agréable passé à boire de nombreuses bouteilles de vin tourna au cauchemar lorsque l'homme de 27 ans empoigna une jeune femme, la tira dans des fourrés et l'étrangla. Il expliqua à un reporter qu'il comptait juste la violer. Le meurtre avait eu lieu parce qu'il redoutait que sa victime ne s'échappe.

DANS LE FROID

Tkach ne donna jamais le nom de cette femme, disant seulement que c'était une ancienne camarade de classe qu'il avait plus ou moins fréquentée neuf ans durant. Il ajouta que pendant tout ce temps, il n'avait jamais eu de rapport sexuel avec elle. Tkach affirma que le jour de sa mort, elle l'avait giflé quand il y avait fait allusion.

« *Vous voulez savoir pourquoi je l'ai tuée ?* demanda-t-il à un journaliste. *Je voulais avant tout me venger !* »

De retour chez lui, Tkach appela la police pour signaler son crime, mais fut agacé par l'inspecteur au bout du fil qui refusa de décliner son identité.

« *J'allais lui dire où se trouvait le corps,* avoua Tkach aux enquêteurs traitant son affaire. *Je m'apprêtais à aider mes anciens collègues, mais j'ai changé d'idée.* » Sans son emploi respectable, Tkach perdit ses repères. L'ancien inspecteur travailla à la mine, dans des fermes et comme ouvrier d'usine. Il déménagea d'une ville à l'autre, laissant derrière des cadavres.

Tkach était aussi méticuleux que calculateur. Il prenait toujours la peine de retirer les bijoux et les vêtements de ses victimes et en gardait une partie en guise de trophée. Grâce à sa formation de policier, il s'assurait de ne pas laisser d'empreinte digitale ou de trace de sperme derrière lui. Et pour faire croire que ses meurtres s'étaient passés loin de là, il abandonnait les corps près de routes ou de rails.

Vraisemblablement, la plupart de ses crimes eurent lieu en Ukraine. Il tua dans les villes de Zaporijia, Kharkiv et enfin, Dnipropetrovsk, là où il passa ses dernières années de liberté.

La grande majorité de ses victimes connues avaient entre 9 et 17 ans, un détail qui incite à douter de l'histoire de son premier meurtre. La dernière, une gamine de 9 ans citée dans les médias sous le prénom de « Kate » était la fille d'un de ses amis. Elle jouait avec quatre autres enfants un jour d'août 2005 lorsqu'elle fut enlevée. Tkach la noya et, comme il l'avait fait pour tant d'autres, laissa le cadavre en évidence.

S'en prendre à un enfant qu'il connaissait et l'enlever devant ses amis était anormalement négligent. Tkach prit des risques supplémentaires en assistant aux obsèques de la petite fille. Il fut immédiatement reconnu par ses camarades de jeu. L'ancien inspecteur exprima ensuite le regret de ne pas les avoir tués aussi.

Tkach fut vite surnommé le maniaque de Pologovsky, du nom du quartier de Dnipropetrovsk où il habitait. En découvrant son vrai

Ex-policier, Tkach se servit de ses connaissances, s'échappant le long de lignes de chemin de fer traitées au goudron pour semer les chiens.

visage, ses voisins furent choqués. Connu en tant qu'un ex-policier, le tueur jouissait d'un certain prestige dans la petite communauté. Quoique solitaire et peu bavard, ces traits renforçaient sa réputation d'homme très intelligent. Même si Tkach avait divorcé deux fois, il donnait l'impression d'être un bon époux depuis son remariage. À l'inverse de beaucoup d'hommes dans son quartier, il ne disait jamais rien de négatif sur les femmes. Tout le monde était persuadé qu'il n'avait jamais levé la main sur son épouse et ses quatre enfants.

AUCUN REMORDS

Plus de deux ans s'écoulèrent avant le début du procès de Tkach. Ce délai s'expliqua par l'énorme défi qui se présentait aux enquêteurs.

Ils ne manquaient pas d'expérience au sujet des tueurs en série – une dizaine d'années plus tôt, Anatoly Onoprienko, « la bête de l'Ukraine » avait été accusé de 52 meurtres – mais dans le cas de Tkach, le nombre de victimes semblait bien plus élevé. En outre, ses activités avaient duré cinq fois plus longtemps et s'étaient déroulées sur des centaines de kilomètres.

D'autres problèmes légaux furent soulevés. Au cours des décennies, neuf hommes innocents avaient été jugés et condamnés pour des crimes commis par Tkach. L'un d'eux s'était suicidé en prison.

Enfin, la question de sa santé mentale se posa. Aucun individu sain d'esprit n'aurait pu commettre de telles horreurs. Cependant, les psychiatres furent unanimes à déclarer que Tkach n'était pas fou. Même s'il consommait un litre de vodka avant chaque viol et meurtre, tous étaient persuadés qu'il était parfaitement conscient de ses actes.

Avant le début de la longue enquête, Tkach se mit à narguer la police. Lors de son arrestation, il dit aux inspecteurs que cela faisait des années qu'il les attendait, ajoutant qu'ils auraient dû comprendre bien plus tôt.

Interviewé par la presse, Tkach les traita de paresseux. « *La police ne s'est pas donné la peine d'exhumer les corps,* dit-il, *elle préférait que j'écrive une lettre d'aveux. Ça fait longtemps que je lui ris au nez ! »*

Quand il commença enfin, le procès dura près de toute l'année 2008.

Parlant depuis une cage dans le tribunal, Tkach prouva que le souvenir de ses victimes était encore frais dans sa mémoire. Vingt-huit ans après ses premiers meurtres, il livra des récits détaillés sur la façon dont il les avait traquées.

Tkach n'exprima aucun remords – ni pour ses victimes, ni pour les hommes accusés à tort. Il se défendit en affirmant qu'il avait commis ses crimes pour dénoncer l'incompétence de la police. Pourtant, il se décrivit souvent comme une bête, une créature qui ne méritait pas juste la peine de mort, mais la désirait.

En fin de compte, le désir de Tkach ne fut pas satisfait. L'Ukraine ayant aboli la peine capitale, il fut condamné à la prison à vie pour le meurtre de 36 de la centaine de femmes et de filles qu'il affirmait avoir tuées. *« Personne n'a pu déterminer les mobiles de ses actes, »* déclara le juge Serhiy Voloshko à l'énoncé du verdict.

Le jour de Noël 2008 fut aussi celui du début de sa peine, mais pour Tkach, cette date ne voulait rien dire. *« Je ne crois pas en dieu, ni au diable, »* dit-il. Peut-être pas, mais ses actions prouvèrent l'existence de ce dernier.

ÉPILOGUE

- **Façon d'agir** : Méticuleux quand il s'agit de supprimer les preuves sur les corps.

- **Découverte capitale** : Reconnu aux obsèques de sa dernière victime.

- **Attitude au tribunal** : Défiant.

- **Défense** : « Je me suis vengé des flics, parce qu'ils ne travaillent pas – ils ne travaillent jamais ! »

- **Condamnation** : Perpétuité sans possibilité de libération conditionnelle.

LE VIOLEUR DU WESTSIDE

Nom : John Thomas Jr

Date de naissance :
26 juin 1936

Profession :
Expert en assurances

Surnom : Le violeur du Westside

Précédentes condamnations :
Viol, tentative de viol, cambriolage

Nombre de victimes : de 7 à 30

Entre l'affaire du Dahlia noir, les crimes de la famille Manson et le massacre de Nicole Brown et Ron Goldman (l'ex-épouse d'O.J. Simpson et son ami), Los Angeles a été le cadre de bon nombre des homicides les plus sanglants et bizarres du xxᵉ siècle. La ville a aussi eu son lot de tueurs en série, dont le « Hillside Strangler » (« L'étrangleur des collines ») – en réalité deux cousins – qui, dans les années soixante-dix terrorisa les citoyens en torturant, violant et tuant douze femmes et jeunes filles. Leurs crimes coïncidèrent avec ceux d'un autre meurtrier, un personnage mystérieux qui, pendant des décennies, fut seulement connu sous le surnom de « violeur du Westside ».

Lui aussi torturait, violait et tuait, mais à l'inverse des étrangleurs des collines, une arrestation ne mit pas fin à ses crimes. En 1978, le violeur du Westside sembla disparaître. Les forces de l'ordre en vinrent à croire qu'il était mort ou incarcéré.

PETIT GARÇON PERDU

Plus de trois décennies passèrent, au cours desquelles les noms et les crimes qui lui étaient associés s'estompèrent des esprits. Puis, le 31 mars 2009, le terrible surnom fit un retour fracassant à la une des journaux quand John Floyd Thomas Jr, un sympathique expert en assurances de 72 ans, fut arrêté.

Thomas avait passé le plus gros de sa vie à Los Angeles. Il y était né le 26 juin 1936. Fils d'un père absent, son enfance n'eut rien d'enviable. Même la mort de sa mère quand il avait 12 ans ne fit pas revenir l'homme à qui il devait son nom. Thomas se retrouva ballotté entre une tante et une marraine. Élève moyen, il parvint à quitter le lycée avec son diplôme et en 1956, il s'engagea dans l'armée de l'air américaine.

Thomas fut posté à la Nellis Air Force Base, à côté de Las Vegas, dans le Nevada, à un peu plus de 400 kilomètres de chez lui. Il ne s'éloigna plus jamais autant de Los Angeles.

Pendant sa brève carrière militaire, il se montra très en dessous de ses fonctions. En 1957, un an après son engagement, il fut exclu de l'armée pour conduite déshonorante.

Ce renvoi n'avait rien à voir avec son dossier – Thomas était souvent rappelé à l'ordre pour sa négligence et ses retards permanents – mais avec un vol et une tentative de viol commise dans sa ville d'origine. À 21 ans, Thomas aurait dû purger une peine de six ans de prison. Cependant, pour cause de mauvaise conduite et deux violations des conditions de sa liberté conditionnelle, il n'en ressortit qu'en 1966.

Elizabeth McKeown, 67 ans, fut assassinée par Thomas dans la banlieue de Westchester.

Âgé de 30 ans et enfin libre, Thomas entra sur le marché du travail pour la première fois. Il occupa divers postes, dont employé d'hôpital, vendeur et, étonnamment, travailleur social.

Quelques années plus tard, Thomas allait emprunter une voie qui ferait de lui le tueur en série le plus actif de l'histoire de Los Angeles. Cet Afro-américain s'attaquait exclusivement à des femmes blanches âgées de 50 à 90 ans. Le plus souvent, il s'agissait de veuves qui vivaient seules. Comme d'autres meurtriers en série, il développa certaines habitudes. Thomas commençait par un viol, avant d'étrangler sa victime à mains nues. Quand il en avait fini, il lui plaquait une couverture ou un oreiller sur le visage. Il semblerait

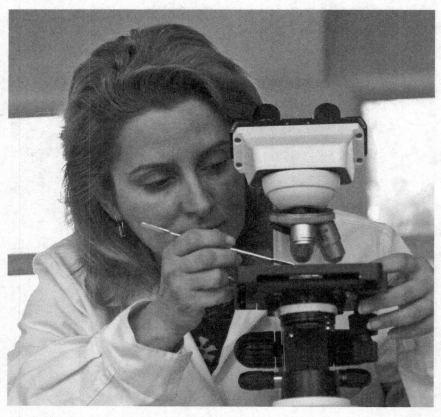

Il fallut du temps, mais l'unité spéciale des homicides non résolus de la police de Los Angeles finit par l'arrêter.

que Thomas ne s'était pas aperçu que certaines femmes ne mouraient pas, s'étant simplement évanouies par manque d'oxygène. Une vingtaine d'entre elles survécurent à ses agressions, mais furent incapables d'identifier leur assaillant.

Comme le Hillside Strangler, le violeur du Westside concentra l'attention de la police et une unité spéciale d'investigation fut formée pour le traquer. Malgré un travail de prévention auprès du public, les viols et les meurtres continuèrent.

Son règne de terreur prit fin en 1978, lorsque Thomas fut jugé et condamné pour viol. Il fut arrêté quand des voisins de la victime notèrent la plaque d'immatriculation de sa voiture alors qu'il s'enfuyait de la scène du crime. Thomas reçut une peine de cinq ans de prison. À sa sortie, il commit au moins cinq autres agressions et meurtres de femmes âgées à Claremont, tout en travaillant comme conseiller dans un hôpital.

Curieusement, malgré les ressources allouées à la capture du violeur du Westside – et les similarités évidentes – la police de Los Angeles ne fit jamais le lien entre les deux séries de crimes.

À l'inverse de la première, la deuxième série de viols et d'assassinats sembla prendre fin du seul fait de Thomas. Après 1988, il est impossible de prouver qu'il fut coupable de quoi que ce soit au cours des vingt années précédant son arrestation.

Thomas aurait pu échapper à la justice sans les avancées en matière de recherches sur l'ADN. Tirant profit des bases de données d'ADN nationale et fédérale, la police de Los Angeles créa en 2001 une unité spéciale des homicides non résolus. Elle se focalisa exclusivement sur les meurtres commis dans la ville au cours des quarante dernières années, dont ceux du violeur du Westside.

PAS DE PARDON

Sept ans plus tard, l'ADN de Thomas fut intégré à la base de données, lorsque la police exigea qu'il fournisse un échantillon afin de ficher tous les délinquants sexuels.

La première correspondance découverte par les enquêteurs liait Thomas à Ethel Sokoloff et Elizabeth McKeown, violées et assassinées dans les années soixante-dix. D'autres suivirent. Dans l'attente de son procès, cinq autres accusations furent ajoutées à son dossier, dont le meurtre de Maybelle Hudson, une retraitée paisible et pieuse.

En avril 1976, Thomas avait agressé sexuellement, battu et étranglé la veuve de 80 ans, quelques minutes après son retour de l'église où elle répétait pour la chorale. Il ne répondit jamais de ses crimes devant un jury. Le 2 avril 2011, dans le cadre d'un accord passé pour éviter la peine de mort, il plaida coupable des viols et assassinats des sept femmes. Il reçut sept condamnations à la perpétuité sans possibilité de libération conditionnelle. Il reste suspecté de quinze autres crimes.

Bob Kistner, le neveu de Maybelle Hudson, lui-même policier, s'exprima au sujet de Thomas. *« Je connais ma tante, la bonne chrétienne qu'elle était aurait espéré le salut de son âme et cherché à lui pardonner. Je travaille dans la police et je crains de ne pas pouvoir être aussi indulgent. »*

ÉPILOGUE

- **Façon d'agir** : Les victimes étaient toujours des femmes blanches âgées vivant seules.

- **Découverte capitale** : Obtention d'un échantillon d'ADN.

- **Attitude au tribunal** : Impassible.

- **Déclaration au sujet de la victim**e : « Elle était très aimée – sa vie comptait pour beaucoup de gens – et cet homme l'a suivie et s'est attaqué à elle. » Tracey Michaels, petite-nièce d'Elizabeth McKeown.

- **Condamnation** : Sept perpétuités sans possibilité de libération conditionnelle.

LE FÉTICHISTE DES CHAUSSURES MEURTRIER

Nom : Jerry Brudos

Date de naissance :
31 janvier 1939

Profession : Technicien en électronique

Précédentes condamnations : À
17 ans, il fut envoyé à l'hôpital
psychiatrique de l'état d'Oregon après
avoir menacé d'un couteau une jeune
fille dans un trou qu'il avait creusé pour
emprisonner des « esclaves sexuelles »

Nombre de victimes : 4

Tout au long de sa vie, Jerome Henry Brudos a été simplement appelé « Jerry », mais il devint célèbre sous les surnoms d' « assassin fétichiste des chaussures » ou de « tueur du sexe ». Aucune des deux appellations ne lui convient vraiment. Son fétichisme, par exemple, ne se limitait pas aux chaussures. En outre, ces noms laissent entendre que Jerry était seulement un meurtrier, alors qu'en réalité, il a torturé, violé et affiché des penchants nécrophiles.

Brudos était né le 31 janvier 1939, à Webster, une petite ville du Dakota du Sud. Les temps étaient durs pour ses parents qui subissaient la Grande Dépression depuis près d'une décennie.

L'une des maisons où Brudos grandit – la famille s'était élevée, mais il sentait toujours qu'il avait déçu sa mère.

Peu après la naissance du bébé, ils abandonnèrent leur ferme et s'installèrent dans l'Oregon, mais ce déménagement ne leur procura pas la stabilité financière espérée. Henry, son père, devait cumuler deux emplois et était rarement à la maison.

Quand il n'était pas à l'école, Jerry passait le plus clair de son temps avec Eileen, sa mère au caractère dominateur. Dépourvue de sens du contact, Eileen n'aimait pas Jerry, préférant de loin son fils aîné, Larry, qu'elle choyait constamment. Son désamour pour Jerry remontait à sa naissance. Déjà mère de trois garçons, elle espérait que ce quatrième enfant soit une fille. Jerry grandit avec l'impression de ne pas être du bon sexe.

La déception d'Eileen explique sans doute un incident étrange survenu quand Jerry était petit. À l'âge de cinq ans, il trouva une élégante paire de chaussures à talons hauts dans la décharge voisine. Il se mit à les porter en secret dans la maison, jusqu'à ce que sa mère le découvre. Elle laissa éclater sa colère et exigea qu'il se débarrasse des escarpins. Quand elle s'aperçut que Jerry ne lui avait pas obéi, elle les arrosa d'essence et y mit le feu, avant de forcer son fils à assister à la destruction des chaussures interdites.

Eileen renforça sans doute involontairement l'intérêt de son fils pour les souliers de femmes qui représentaient l'attrait de l'interdit. Peu après, Jerry fut pris sur le fait alors qu'il tentait de voler les chaussures de son institutrice.

En 1955, la Grande Dépression et ses conséquences semblaient bien lointaines. La famille Brudos avait emménagé dans une maison confortable d'un quartier aisé. Âgé de 16 ans, Jerry se retrouva à vivre près d'un couple et de ses trois filles adolescentes. Il les espionnait depuis ses fenêtres, puis se mit à voler leurs sous-vêtements sur la corde à linge.

Quand le vol fut rapporté à la police, Jerry trouva un moyen de satisfaire son désir croissant pour les articles féminins. Il commença par convaincre l'une de ses voisines qu'il travaillait avec la police sur l'affaire et l'invita chez lui pour en discuter. Lorsque la jeune fille arriva, Jerry la fit entrer avant de s'excuser et de quitter la pièce. Il revint, portant un masque. Soudain, il lui mit un couteau sous la gorge et la força à se déshabiller. Une fois ses vêtements sur le sol, Jerry prit quelques photos avant de ressortir. Il reparut alors que sa voisine allait s'enfuir. Avant qu'elle ne donne l'alerte, il lui expliqua qu'un homme masqué l'avait enfermé. C'était une histoire abracadabrante et pourtant, la jeune fille ne parla à personne de son expérience aussi bizarre qu'effrayante.

PHOTOS DÉNUDÉES

Peu après, Jerry alla plus loin et frappa une autre jeune fille qui refusa de se déshabiller devant lui, mais il fut interrompu par un couple âgé en promenade. La police se déplaça, rédigea un rapport et commença une enquête. Elle découvrit la collection de chaussures de Jerry, la lingerie volée et les photographies de sa voisine.

Jerry fut envoyé au service psychiatrique de l'Oregon State Hospital où il raconta ses fantasmes aux médecins, dont un à propos

La Willamette où Brudos jeta les corps de Linda Slawson et Jan Whitney.

d'une prison souterraine. Il rêvait d'un lieu où garder les filles qu'il capturait. De cette façon, il pourrait avoir toutes celles qu'il voulait, quand il le voulait.

Les psychiatres ne s'inquiétèrent pas, pensant que les désirs sexuels sinistres de Jerry disparaîtraient à l'adolescence. Ils déterminèrent également qu'il était à la limite de la schizophrénie. Pourtant, après neuf mois d'hospitalisation, il fut relâché. Des tests prouvaient qu'il était intelligent, mais manquait de motivation et d'autodiscipline. Lorsqu'il quitta le lycée, il était parmi les derniers de sa promotion.

Jerry n'envisagea pas de suivre des études supérieures. Il se mit à chercher du travail, en vain.

FANTASMES

Dans une impasse, il considéra une carrière militaire, mais fut vite renvoyé et considéré indésirable lorsqu'il confia ses fantasmes au psychiatre de l'armée. Contraint de rentrer chez lui, il reprit ses vieilles habitudes. Il recommença à voler des chaussures et des sous-vêtements et à agresser des femmes. Allant un peu plus loin, il tenta d'enlever une jeune femme, mais lorsqu'elle s'évanouit, il se contenta de lui voler ses escarpins.

En 1961, Jerry était devenu technicien en électronique. Alors qu'il travaillait dans une station de radio locale, il rencontra une jolie jeune fille de 17 ans, Ralphene, séduite à l'idée de sortir avec un homme de cinq ans son aîné. À 23 ans, Jerry perdit enfin sa virginité. Peu après, Ralphene se retrouva enceinte et ses parents consentirent à contrecœur au mariage.

La cérémonie se déroula au printemps 1962, mais il n'y eut pas vraiment de lune de miel. Ralphene constata vite que son mari était très dominateur et avait des exigences particulières. Il exigeait que son épouse fasse le ménage et la cuisine entièrement nue, à l'exception, bien sûr, d'une paire de chaussures à talons hauts. Il lui interdisait de se rendre à la cave. À l'insu de sa femme, Jerry passait son temps à développer des photos de Ralphene portant des vêtements féminins qu'il avait volés au fil des années.

Jeune et sans expérience, Ralphene se plia d'abord aux demandes de son mari, puis prit de l'assurance. Elle refusait désormais de se faire photographier ou de porter la lingerie qu'il lui donnait. Elle mettait une blouse pour effectuer les tâches ménagères. Elle était mère de famille et attendait un deuxième enfant. Puisque Ralphene n'était plus l'exutoire de ses fantasmes sexuels, Jerry se replia sur lui-même. Il se mit à porter sa collection de sous-vêtements féminins volés, souvent sous sa tenue de travail.

Un soir, peu après la naissance de leur deuxième enfant, les choses prirent une tournure dramatique. Par hasard, Jerry remarqua une femme séduisante marchant dans une rue de Portland. Il la suivit jusqu'à son appartement avant de guetter sous ses fenêtres. Les heures passèrent, mais Jerry ne bougea pas avant d'être sûr qu'elle dormait. Il s'introduisit alors chez elle. La femme se réveilla alors qu'il volait sa lingerie. Il se jeta sur son lit et la viola.

Frustré par le refus de Ralphene d'alimenter ses fantasmes, Jerry prit des photos de lui habillé en femme qu'il laissa traîner dans la maison. Comme sa femme les ignora, il se retira dans son atelier à la cave. Il avait déjà violé, mais ses désirs étaient sur le point de se manifester avec encore plus de brutalité.

PENDUE À UN CROCHET DE BOUCHER

Le 26 janvier 1968, il commit son premier meurtre. Sa victime, Linda Slawson, 19 ans, payait ses études en vendant des encyclopédies à domicile. Lorsqu'elle aborda Jerry dans son jardin, il se montra très enthousiaste et elle le suivit sans hésiter dans la cave pour conclure sa vente. C'est là qu'il la frappa à la tête avant de l'étrangler.

Une fois Linda morte, il remonta, sortit quelques billets de son portefeuille et envoya la famille dans un fast-food voisin. Il put ensuite laisser libre cours à ses fantasmes sur le cadavre de sa

Linda J. Slawson tentait de financer ses études en vendant des encyclopédies à domicile.

victime. Mais Jerry ne s'arrêta pas au retour de sa femme et ses enfants, prolongeant ses activités pendant plusieurs jours.

Il plongea dans sa collection de chaussures et de lingerie afin d'habiller le cadavre de Linda. Il prit de nombreuses photos, changea plusieurs fois les vêtements et répéta cette opération. Il eut aussi des rapports sexuels avec la morte. Au bout de quelques jours, il emmena le corps jusqu'à la Willamette et le jeta du haut d'un pont. Il prit soin au préalable de lui scier les pieds et de les cacher dans un congélateur au sous-sol. Parfois, Jerry en mettait un dans une chaussure avant de se masturber. Quand le pied coupé se décomposa, il le jeta également dans la rivière.

Jerry ne tua plus jusqu'en juillet 1968. Dans l'intervalle, il déménagea avec sa famille à Salem, la capitale de l'état de l'Oregon. La nouvelle maison des Brudos n'était pas très belle, mais possédait un avantage non négligeable pour Jerry : un garage séparé, situé au bout d'un petit chemin, qui pourrait lui servir d'atelier. Cette structure serait beaucoup plus retirée que la cave.

Le 26 novembre 1968 au soir, Jerry enleva Jan Whitney. La famille n'était pas encore installée à ce moment-là. Il la repéra sur l'autoroute où sa voiture était tombée en panne. Il lui dit qu'il pouvait la réparer, mais il devait d'abord passer chez lui prendre des outils. Jan rentra à Salem avec lui. Là-bas, Jerry la viola et l'étrangla sur le siège passager de sa voiture.

Pendant les cinq jours suivants, le cadavre de Jan fut suspendu à un crochet de boucher dans le garage de Jerry. Il l'habilla, prit des photos et se livra à des actes de nécrophilie comme précédemment. Il fit une pause pour partir en famille pendant le week-end de Thanksgiving. En leur absence, un accident faillit mettre à jour le corps de Jan et la vie très secrète de Jerry. Un conducteur perdit le contrôle de sa voiture et percuta le garage, endommageant sa structure en bois. Des policiers furent appelés sur le lieu de l'accident. S'ils s'étaient donné la peine de regarder de l'autre côté du mur endommagé, ils auraient trouvé le cadavre pendu de Jan Whitney.

Cet incident ne fit qu'enhardir Jerry. Il se crut intelligent et pensa qu'il pouvait faire ce qu'il voulait sans être pris. Quelques jours après son retour, il se débarrassa du corps de Jan dans la Willamette. Il l'amputa du sein droit qu'il comptait utiliser pour créer un moule et fabriquer des presse-papiers. Cette initiative ne fut pas couronnée de succès.

Le travail de Linda Slawson l'avait menée à Jerry, alors que le meurtre de Jan Whitney était le fruit du hasard. Désormais, Jerry était prêt à traquer ses proies. Habillé en femme, il traînait dans le parking d'un grand magasin de Salem et le 27 mars 1969, il enleva sa victime suivante âgée de 19 ans. Jerry ne tua pas immédiatement Karen Sprinker. Il l'obligea à porter divers articles de sa collection de vêtements féminins. Quand il se lassa de ce jeu, il lui passa un nœud coulant autour du cou, la souleva à quelques centimètres du sol et quitta le garage pour dîner en famille. À son retour, elle était morte. Il lui trancha les deux seins, à nouveau pour faire des presse-papiers puis la jeta dans un affluent de la Willamette.

Moins d'un mois plus tard, Jerry recherchait une autre victime.

Le 21 avril, il attaqua une jeune femme, Sharon Wood, dans un parking souterrain. Dans la bagarre, Sharon lui mordit le pouce et il prit la fuite. Quelques jours plus tard, il essaya à nouveau et choisit cette fois une proie bien plus jeune. Gloria Smith, 12 ans, était sur le chemin de l'école lorsqu'il l'aborda avec un faux pistolet et l'amena à sa voiture. Heureusement, Gloria eut le bon réflexe de courir vers une femme qui faisait du jardinage.

FAUX INSIGNE DE POLICIER

Jerry se croyait plus intelligent que les autres, mais il venait d'échouer à deux reprises, y compris face à une gamine. Il lui fallait une arme plus réaliste s'il voulait réussir ses enlèvements. Il se procura un faux insigne de police qu'il utilisa pour enlever sa dernière victime, Linda Salee. Il l'aborda dans le parking d'un centre commercial de Portland et l'accusa d'avoir volé dans un magasin. Suivant ses ordres

Jerry Brudos entre au tribunal encadré par deux policiers – lors de son arrestation, il portait des dessous féminins.

sans protester, Linda fut conduite dans son garage de Salem où il la ligota, avant d'aller dîner avec sa famille. À son retour, il constata que Linda s'était détachée. Elle était libre et pourtant, elle n'avait pas pris la fuite. Jerry l'attacha à nouveau et cette fois, la suspendit au plafond. Il la déshabilla, la photographia avant de la pendre.

Linda était la quatrième victime de Jerry, mais la police n'avait pas établi de lien entre les meurtres. Elle ignorait d'ailleurs que ces femmes étaient mortes. Si un pêcheur n'avait pas fait une découverte, Jerry aurait pu continuer à tuer pendant un moment. Le 10 mai 1969, un mois environ après l'assassinat de Linda, cet homme remarqua son corps flottant sur l'eau. Deux jours plus tard, les plongeurs de la police retrouvèrent le cadavre de Karen Sprinker, non loin de celui de Linda.

Quand la nouvelle se propagea dans la communauté, Jerry ne se sentit pas concerné. Il était certain que rien ne pourrait le lier aux deux cadavres.

Il se trompait.

Lorsqu'il avait ligoté les femmes, il avait utilisé un nœud peu courant, souvent utilisé par les électriciens quand ils installaient des câblages dans une maison.

Les policiers se rendirent sur le campus de l'université de l'Oregon où Karen Sprinker faisait ses études. Ils entendirent parler d'un homme étrange qui sillonnait les lieux. Une jeune femme avait même passé une soirée avec lui. Quand il revint, la police l'attendait. Il s'agissait de Jerry Brudos. Une vérification de routine révéla sa profession et son passé judiciaire. Les inspecteurs se rendirent donc chez les Brudos. Ils remarquèrent une corde dans le garage de Jerry. Elle était identique à celle qu'on avait retrouvée sur les deux cadavres de la rivière. Constatant l'intérêt des enquêteurs, Jerry leur en proposa un morceau. Il s'avéra parfaitement correspondre à celle que détenait la police.

L'ÉTAU SE RESSERRE

Jerry sentait que l'étau se resserrait et le 30 mai, il partit pour la frontière canadienne, accompagné par sa femme. Le couple fut repéré par la police d'État de l'Oregon. Arrêté pour une accusation relativement mineure – agression à main armée contre Gloria Smith – Jerry se mit à parler en garde à vue. Il sembla prendre plaisir à donner des récits très détaillés de ses meurtres. Il ne montrait aucun remords, disant à l'un des inspecteurs que les femmes qu'il avait tuées et violées n'étaient que des objets pour lui. Il alla jusqu'à les comparer à un papier de bonbon.

« Quand on en a fini, on les jette. Pourquoi ne pas les jeter ? Ça ne sert plus à rien. »

Le 27 juin, Jerry plaida coupable de tous les chefs d'accusation pesant contre lui. Il reçut trois condamnations à vie, totalisant un minimum de 36 ans d'emprisonnement. Jerry put faire une demande de libération conditionnelle en 2005, mais au fil des années, il devint de plus en plus évident qu'il ne sortirait jamais de prison.

Il mourut d'un cancer du foie le 29 mars 2006, âgé de 67 ans.

ÉPILOGUE

- **Signes alarmants** : Excité par les catalogues de chaussures pour femmes ; obligeait son épouse à se promener nue dans la maison ; portait des dessous féminins.

- **Façon d'agir** : Suivait des femmes à l'adolescence, les agressait et leur volait leurs chaussures ; devint de plus en plus violent et calculateur.

- **Découverte capitale** : La police trouva des photos de ses victimes posant dans sa collection de lingerie ; restes humains conservés chez lui.

- **Condamnation** : Perpétuité (mourut de mort naturelle).

LE COMMUNISTE RÔDEUR

Nom : Andrei Chikatilo

Date de naissance :
16 octobre 1936

Profession : Employé

Description : tête déformée à la suite
d'une hydrocéphalie contractée dans
l'enfance ; se qualifiait « d'erreur de la
nature »

Précédentes condamnations:
Accusations d'attouchements sur ses
élèves des deux sexes

Nombre de victimes : 52 au moins

Alors que l'URSS intègre les livres d'histoire, il y a quelque chose de quasi surréaliste dans l'expression « tueur en série soviétique ». À tort ou à raison, ce phénomène semble souvent un symptôme occidental. Il est donc incroyable qu'un criminel en série d'Union Soviétique ait été plus actif et, diront certains, plus sadique que tous ses contemporains de l'Ouest. On estime qu'Andrei Chikatilo a violé et tué au moins 52 personnes des deux sexes. Il mutila leurs dépouilles, souvent à la manière de Jack l'Éventreur.

Andrei Romanovich Chikatilo vit le jour le 16 octobre 1936 à Yablochnoye, un village désormais situé en Ukraine. Il eut une enfance douloureuse, grandissant dans les suites de la famine ukrainienne. Sa mère lui racontait souvent qu'il avait eu un grand frère, Stepan, enlevé et dévoré par des voisins affamés.

Il n'y a aucune preuve de l'existence de cet enfant.

Après l'entrée en guerre de l'Union Soviétique quand il avait 4 ans, son père partit combattre. Chikatilo resta seul avec sa mère, partageant son lit toutes les nuits. Souffrant d'énurésie chronique, il était battu chaque fois qu'il mouillait les draps. Au cours de la guerre, il assista à l'occupation nazie et à la dévastation et la mort causées par les bombardements allemands. Il était à la fois terrifié et excité par la vision fréquente des cadavres.

La fin de la guerre ne soulagea pas vraiment sa famille. Son père, prisonnier pendant une partie du conflit, fut transféré dans un camp russe.

MARGINAL

Ingrat et hypersensible, Chikatilo se tenait à distance des autres enfants. Il était considéré comme un bon élève, mais échoua à l'examen d'entrée à l'Université d'état de Moscou. En 1960, après son service militaire obligatoire, il travailla comme ingénieur des télécommunications. À cette période, Chikatilo, âgé de 23 ans, tenta d'avoir son premier rapport sexuel avec une femme. Il fut victime d'une panne, une humiliation que sa petite amie potentielle propagea auprès de ses connaissances. Il imagina une vengeance où il capturerait cette femme pour la découper en morceaux.

Quand Chikatilo se maria en 1963, ce fut grâce à sa petite sœur qui arrangea l'union avec l'une de ses amies. Souffrant d'impuissance, il put avoir malgré tout un fils et une fille.

Il s'aperçut plus tard qu'il avait subi des lésions cérébrales à la naissance affectant ses capacités à contrôler sa vessie et ses éjaculations.

En 1971, ayant obtenu un diplôme de littérature russe par correspondance, il décrocha un poste d'enseignant dans une école locale. Bien que médiocre, Chikatilo exerça cette profession pendant près de dix ans, réfutant souvent des accusations d'attouchements sur ses élèves.

En 1978, Chikatilo accepta un nouveau poste et s'installa à Chakhty. Vivant seul en attendant que sa famille le rejoigne, il se mit à fantasmer sur les enfants nus. Chikatilo acheta une cabane dans une ruelle miteuse d'où il pouvait espionner les enfants en train de jouer, tout en s'adonnant à ses plaisirs solitaires. Trois jours avant Noël, il réussit à attirer dans son repère une fillette de 9 ans, Yelena Zabotnova. Il voulait la violer, mais s'avéra incapable d'avoir une érection. Il empoigna alors un couteau, la poignarda et éjacula à ce moment-là. Il se débarrassa ensuite du cadavre dans une rivière. Chikatilo fut soupçonné du crime. Plusieurs témoins l'avaient vu avec la fillette et du sang fut retrouvé sur le pas de sa porte. Cependant, un autre homme, Alexsandr Kravchenko, avoua le crime sous la torture. Kravchenko fut exécuté.

La chance de Chikatilo lui fit défaut dans sa nouvelle école. En 1981, il fut congédié pour avoir pratiqué des attouchements sur des garçons dans un dortoir. Grâce à son adhésion au Parti communiste, il obtint vite un poste d'employé dans une usine voisine.

Il attendit le 3 septembre 1981 pour tuer à nouveau, mais Chikatilo venait de débuter une série de crimes qui dura jusqu'au mois de sa capture, douze ans plus tard.

Chikatilo s'attaquait le plus souvent à des fugueuses ou des prostituées qu'il trouvait dans les gares. Attirant ses victimes en leur promettant des cigarettes, de l'alcool, des vidéos ou de l'argent, il les emmenait dans les forêts voisines. Le cadavre d'une jeune fugueuse, découvert en 1981, était représentatif des scènes d'horreur que Chikatilo laissait derrière lui. Couverte par un journal, la jeune fille n'avait plus d'organes génitaux. Un de ses seins sanguinolent n'avait plus qu'un téton. Chikatilo admit ensuite qu'il l'avait mordu et avalé, un geste qui le fit éjaculer involontairement.

Ses victimes masculines, âgées de 8 à 16 ans, étaient traitées différemment. Chikatilo s'imaginait qu'il les retenait prisonniers pour des crimes mystérieux.

Il les torturait, tout en s'imaginant qu'il se conduisait en héros. Chikatilo n'a pas expliqué pourquoi, très souvent, il leur coupait le pénis et la langue alors qu'ils étaient encore vivants.

La plupart de ses premières victimes eurent les yeux arrachés, un geste commis parce qu'il redoutait qu'ils ne fournissent une image de son visage. Cette pratique s'arrêta quand, après vérification, Chikatilo s'aperçut que ce n'était qu'une histoire de bonne femme. Sans aucun doute, ses crimes furent facilités par les médias verrouillés par l'État à l'époque. Personne ne savait ce qui se passait. Les viols et les meurtres en série étaient rarement rapportés et semblaient toujours associés à ce qui était dépeint comme l'Ouest hédoniste. Alors que près de 600 inspecteurs et policiers se penchèrent sur l'affaire, surveillant les gares et interrogeant des suspects, les gens qui vivaient dans les zones où l'on avait retrouvé des corps ignoraient qu'un tueur en série rôdait. Pourtant, avec près d'un demi-million de personnes ayant fait l'objet d'enquêtes, il y a bien dû y avoir des craintes.

Une rumeur disait que les enfants étaient massacrés par un loup-garou. Ce ne fut qu'en août 1984, quand Chikatilo commit son 30e meurtre, que le premier article parut dans le quotidien local.

CONDUITE LOUCHE

Le 14 septembre 1984, un policier en civil repéra Chikatilo en train d'aborder diverses jeunes femmes à la gare de bus de Rostov. Interrogé, il expliqua qu'en tant qu'ancien enseignant, le contact avec les jeunes lui manquait. Cette justification n'apaisa pas vraiment les soupçons et le policier continua à suivre Chikatilo. Il finit par aller voir une prostituée et, après une fellation, il fut arrêté. Son attaché-case contenait un couteau de cuisine, une serviette, une corde et un pot de vaseline.

Les forces de l'ordre étaient persuadées d'avoir mis la main sur le tueur en série et demandèrent au procureur de venir interroger Chikatilo. Cependant, leur soulagement prit fin quand on découvrit

Photos de la police montrant Chikatilo avec le sac noir contenant les couteaux utilisés sur ses victimes.

que le groupe sanguin du suspect ne concordait pas avec celui du sperme retrouvé sur les cadavres. Cette divergence, qui ne fut jamais expliquée de façon satisfaisante, est souvent jugée comme une erreur administrative. Au bout de deux jours, Chikatilo fut relâché, n'ayant rien d'autre à avouer qu'un rapport tarifé avec une prostituée.

Chikatilo aurait sans doute été interrogé plus longtemps s'il n'avait pas été membre du Parti communiste.

Cette association prit rapidement fin après quand il fut accusé d'un petit vol sur son lieu de travail. Chikatilo fut exclu du Parti et condamné à trois mois de prison.

Une fois libéré, il trouva du travail à Novotcherkassk. Ses meurtres reprirent en août 1985 et restèrent irréguliers pendant plusieurs années. Cependant, en 1988, il semblait avoir repris ses vieilles habitudes et assassina au moins neuf personnes.

Il semble pourtant qu'il ne tua pas pendant l'année suivante. En 1990, il tua neuf autres victimes, le dernier crime ayant lieu le

Le corps de Tanya Petrosan, 32 ans, assassinée en 1984.

6 novembre quand il mutila Sveta Korostik dans les bois près de la gare de Leskhoz.

Comme la gare était sous surveillance permanente, Chikatilo fut arrêté et questionné alors qu'il quittait la zone où le cadavre fut ensuite retrouvé.

Le 14 novembre, le lendemain de la découverte macabre, Chikatilo fut appréhendé et interrogé. En l'espace de quinze jours, il avoua et décrivit 56 meurtres. La police, qui en avait seulement compté 36 au cours de l'enquête, fut choquée par ce nombre.

ACCÈS DE FOLIE

Chikatilo fut enfin jugé le 14 avril 1992. Menotté, on le plaça dans une grande cage au milieu du tribunal. Elle avait été spécialement construite pour l'occasion, afin de protéger les familles des victimes. Au cours du procès, l'humeur de l'accusé alterna entre l'ennui et l'indignation. À deux reprises, Chikatilo s'exhiba, hurlant qu'il n'était pas homosexuel.

Son témoignage était tout aussi fantasque. Il nia être l'auteur de plusieurs meurtres qu'il avait avoués, tout en admettant sa culpabilité pour des crimes inconnus. Mais ce n'était pas le plus étrange. À plusieurs occasions, Chikatilo annonça qu'il était irradié, enceinte et qu'il avait des montées de lait. Le jour où le procureur devait faire sa plaidoirie, Chikatilo se mit à chanter et fut évacué du tribunal. À son retour, lorsqu'on lui donna la parole, il resta muet.

Le 14 octobre 1992, six mois après le début du procès, Chikatilo fut jugé coupable du meurtre de 21 garçons et 31 filles. Tous les garçons et quatorze des victimes féminines avaient moins de 18 ans.

Pendant tout le procès, l'avocat de Chikatilo avait tenté de prouver que son client était fou, ce que nia un groupe de psychiatres nommé par la cour. Son appel étant rejeté, Chikatilo fut conduit, le jour de la Saint Valentin 1994, dans une salle insonorisée spéciale et exécuté d'une balle dans la nuque.

ÉPILOGUE

- **Signes alarmants** : Jeune professeur, il passait son temps à observer des enfants et à les imaginer nus.

- **Façon d'agir** : Impuissance exacerbée par son sentiment d'inadaptation ; réalisa qu'il ne pouvait obtenir une érection qu'en poignardant ses victimes.

- **Découverte capitale** : Vu par un policier en civil en train de rôder autour des jeunes femmes à la gare de bus de Rostov.

- **Attitude au tribunal** : S'exhiba en criant qu'il n'était pas homosexuel ; se mit à chanter et refusa de répondre aux questions.

- **Défense** : « Je les considérais [mes victimes] comme des avions ennemis à abattre »

- **Condamnation** : Peine de mort (balle dans la nuque).

LA BÊTE DANS LE BUNKER

Nom : Josef Fritzl

Date de naissance :
9 avril 1935

Profession : Vendeur de matériel
technique et gardien

Précédentes condamnations :
Condamné à 18 mois de prison pour
viol

Chefs d'accusation : Séquestration,
viol, inceste, coercition, asservissement
et homicide par négligence

Josef Fritzl racontait des histoires contradictoires au sujet de sa
mère, Maria. Dans certaines, elle était « *la meilleure femme du
monde* », dans d'autres, elle était froide, brutale, presque inhumaine.

« *Elle me battait jusqu'à ce que je finisse couché dans une mare
de sang,* affirma-t-il un jour. *Elle ne m'a jamais embrassé.* »

Fritzl affirmait que sa mère ne s'était pas adoucie en vieillissant,
ayant, au contraire, conservé cette nature intraitable. Quand il
vieillit à son tour, il révéla que Maria avait passé ses dernières
années dans une pièce fermée à clé dont la fenêtre était murée. Aux
voisins qui s'inquiétaient, Fritzl disait que sa mère était morte, alors
qu'en réalité, il la retenait prisonnière. Dans d'autres circonstances,

Un camion de police garé devant la maison de Fritzl.

sa conduite serait jugée choquante, mais dans le contexte des autres crimes de Fritzl, cette histoire semble presque mineure.

PÂLEUR MORTELLE

Le monde ignorait tout des crimes de Fritzl jusqu'à ce matin du dimanche 19 avril 2008 où il appela une ambulance. Kerstin Fritzl, 17 ans, était gravement malade chez lui, au 40 Ybbsstrasse dans la ville autrichienne d'Amstetten.

Les ambulanciers furent intrigués par l'état de la patiente inconsciente. Ils n'avaient jamais vu ce genre de symptômes. D'une pâleur cadavérique et à moitié édentée, Kerstin était proche de la mort. Elle fut transportée d'urgence à l'hôpital local. Quelques heures plus tard, Josef Fritzl arriva. Se présentant comme étant son grand-père, il remit une lettre d'Elisabeth, la mère de Kerstin.

« S'il vous plaît, aidez-la. Kerstin a très peur des inconnus. Elle n'est jamais allée à l'hôpital. J'ai demandé de l'aide à mon père car il est la seule personne qu'elle connaît. »

Josef Fritzl expliqua qu'Elisabeth s'était enfuie pour entrer dans une secte des années auparavant en lui laissant sa fille.

Alors que Kerstin était entre la vie et la mort, une équipe de policiers se lança à la recherche d'Elisabeth Fritzl. Les autorités voulaient interroger la mère et soupçonnaient une négligence grave. Ils écumèrent des bases de données dans toute l'Autriche et ne purent rien trouver de récent sur elle.

APPEL À LA TÉLÉ

À la fin de la deuxième journée d'hospitalisation de Kerstin, les médecins lancèrent un appel à la télé. Ils n'arrivaient pas à faire un diagnostic et pensaient que la mère pourrait les aider. Comme

Elisabeth ne se manifestait pas, les policiers se présentèrent au 40 Ybbsstrasse pour effectuer des prélèvements d'ADN sur les Fritzl. Rosemarie, la femme de Josef, s'y soumit, comme les autres enfants abandonnés par Elisabeth. Cependant, Josef était trop occupé pour accorder aux policiers ne serait-ce que quelques minutes de son temps.

Une semaine après l'hospitalisation de Kerstin, Rosemarie eut la surprise de voir Elisabeth chez elle. Sa fille était partie depuis près de 24 ans. Elle était accompagnée par deux enfants, Stefan et Felix, dont Rosemarie ignorait l'existence. Josef expliqua qu'elle avait entendu l'appel des médecins et quitté la secte où elle vivait afin de voir sa fille gravement malade.

Quand Elisabeth arriva à l'hôpital, les policiers l'attendaient. Ils voulaient savoir où la jeune femme était passée pendant deux décennies et pourquoi elle avait abandonné ses enfants. Ils la conduisirent au commissariat et l'interrogèrent pendant des heures. Peu avant minuit, Elisabeth révéla qu'elle n'était jamais allée dans une secte et n'avait pas laissé ses enfants. Son père l'avait retenue prisonnière dans la cave du 40 Ybbsstrasse.

Ayant rompu son silence, Elisabeth dit qu'elle révèlerait tout des dernières vingt-quatre années de sa vie, à condition de ne plus jamais revoir son père.

Les policiers abasourdis accédèrent à sa demande et Elisabeth se lança dans un monologue de deux heures au cours duquel elle décrivit ses épreuves avec force détails.

Elle dit aux enquêteurs que son père l'avait attirée dans la cave le 29 août 1984, avant de l'endormir avec de l'éther et de l'enfermer dans un bunker caché. Les fondations du 40 Ybbsstrasse ressemblaient à un labyrinthe. La plus vieille partie de la maison datait de 1890 et depuis, il y avait eu de nombreuses modifications, dont un agrandissement en 1978, réalisé par un entrepreneur. Cependant, pour des raisons de discrétion, Fritzl avait construit lui-même le bunker. On ne pouvait y accéder qu'en empruntant l'escalier de la cave avant de traverser plusieurs pièces et de franchir huit portes verrouillées. La dernière était cachée derrière une grosse étagère.

Le bunker se composait d'une cuisine, d'une salle de bain, d'une salle à manger et de deux chambres. Il n'y avait aucune source de lumière naturelle et l'air était confiné. Le plafond était très bas – moins de deux mètres au mieux. Fritzl n'avait pas eu de mal à construire cette prison. L'ingénieur électricien avait toujours été très doué de ses mains.

BON SALAIRE

Né à Amstetten le 9 avril 1935, Fritzl avait été élevé par sa mère après le départ de son père. Parti combattre aux côtés des nazis, Josef Fritzl fut tué pendant la deuxième guerre mondiale. Son fils était un bon élève, manifestant une aptitude pour tout ce qui était technique. Il venait d'être embauché dans l'aciérie Linz à 21 ans lorsqu'il épousa Rosemarie, 17 ans. Le couple eut deux fils et cinq filles, dont la ravissante Elisabeth.

Fritzl rapportait un très bon salaire, mais était un père et un mari déplaisant. En 1967, il fut condamné à 18 mois de prison pour le viol d'une femme de 24 ans. À sa sortie, il entra dans une entreprise de construction puis sillonna l'Autriche en tant que représentant en matériel technique. Jusqu'en avril 2008, il n'eut plus aucun souci avec la loi, ce qui ne signifie pas qu'il menait une vie exemplaire. Auprès des voisins, il avait la réputation d'être froid, de rester à l'écart et de couper sa famille des autres. On le disait très sévère avec ses enfants qui devaient strictement lui obéir.

Mais aucun voisin ne pouvait concevoir ce qui se passait réellement dans son foyer. En 1977, Fritzl commença à abuser sexuellement d'Elisabeth qui n'avait que 11 ans. Elle n'en parla à personne, même pas à sa meilleure amie, Christa Woldrich et il est facile d'imaginer l'effet dévastateur de cet inceste.

« *J'avais l'impression qu'elle se sentait mieux à l'école que chez elle,* confia Christa Woldrich à un journaliste. *Parfois, elle ne parlait plus lorsqu'il était l'heure de rentrer à la maison.* »

Elisabeth Fritzl vit désormais sous une nouvelle identité dans un village tenu secret.

En janvier 1983, Elisabeth fit une fugue et se rendit à Vienne. Elle avait alors 16 ans. Même si elle fit de son mieux pour se cacher, elle ne resta libre que trois semaines jusqu'à ce que la police la retrouve et la ramène chez ses parents. Les policiers ont estimé ensuite que Fritzl avait bien avancé la construction de son bunker à cette époque. Dix-huit mois plus tard, l'incarcération d'Elisabeth débuta au 40 Ybbsstrasse.

Fritzl parut très honnête sur ce qui était arrivé à sa fille de 18 ans.

Il raconta à tout le monde qu'elle se droguait et était partie dans une secte. Une pure invention, bien sûr. Fritzl avait étayé son histoire en forçant Elisabeth à écrire une lettre dans laquelle elle demandait qu'on ne le recherche pas car elle était désormais heureuse.

Elisabeth resta seule dans le bunker jusqu'à la naissance de son premier enfant, ne recevant que la visite de son père. Il venait plusieurs fois par semaine lui apporter à manger et la violait. Le cauchemar empira lors de sa quatrième année sous terre. Elisabeth, enceinte pour la première fois, fit une fausse-couche. Elle accoucha ensuite de Kerstin et l'année suivante de Stefan. Elle eut sept enfants en tout, dont Michael qui mourut à l'âge de trois ans. Alors que Kerstin, Stefan et Felix, les plus jeunes, vivaient en captivité, Fritzl fit en sorte que Rosemarie s'occupe des autres.

Il eut du mal à justifier l'existence de ces bébés. Après tout, Rosemarie ignorait tout du bunker. Comme tout le monde, elle croyait qu'Elisabeth avait trouvé une forme de sérénité en intégrant une secte fictive. Cependant, Fritzl avait déjà préparé le terrain en dépeignant Elisabeth comme une fille instable et irresponsable. Il n'avait plus qu'à aller chercher les bébés en pleine nuit, qu'il déposait sur le pas de la porte avec un petit mot d'Elisabeth.

En mai 1993, Lisa, 9 mois, fut la première petite-fille dont Rosemarie s'occupa. Lorsque Monika arriva l'année suivante, la presse en prit bonne note. *« Quel genre de mère ferait une chose pareille ? »* s'interrogea un journal. Les voisins prirent en pitié Rosemarie qui avait déjà élevé sept enfants. Cependant, elle ne se

La maison du 40 Ybbsstrasse, d'extérieur normal.

plaignait pas et s'avéra très dévouée envers ses petits-enfants. Ils étaient tous les trois bons à l'école, semblaient heureux et en bonne santé, en dépit de leur naissance. Cette admiration et ce respect s'étendirent aussi à Fritzl, qui participait à l'éducation de trois jeunes enfants alors qu'à son âge, il aurait eu le droit d'enfin se reposer.

Le quotidien des enfants dans le bunker était très différent. Kerstin, Stefan et Felix savaient qu'ils avaient des frères et sœurs vivant dans la maison au-dessus d'eux. Kerstin et Stefan, d'ailleurs, se souvenaient bien des bébés. Et pour ne rien arranger, Josef leur apportait des vidéos montrant Lisa, Monika et Alexander vivant dans des conditions nettement supérieures aux leurs.

Malgré ses souffrances, Elisabeth fit de son mieux pour offrir à Kerstin, Stefan et Felix un semblant d'éducation normale. Elle leur donnait des cours, leur apprit à lire, écrire et compter. Tous les enfants, qu'ils soient élevés dans le bunker par Elisabeth ou à l'étage au-dessus par Rosemarie, étaient intelligents, polis et s'exprimaient bien.

DANS LE BUNKER

Fritzl n'a jamais expliqué pourquoi il ramena Lisa, Monika et Alexander à la maison alors qu'il garda trois autres enfants prisonniers en bas. On pourrait invoquer le manque d'espace. Avec une surface totale d'environ 35 mètres carrés, le bunker devenait de plus en plus exigu, surtout lorsque les enfants grandissaient. Après la naissance de Monika en 1993, Fritzl résolut le problème en ajoutant 20 mètres carrés à la prison souterraine.

Le 27 avril 2008, neuf jours après l'appel d'urgence passé par Fritzl, une équipe de policiers arriva chez Josef et Rosemarie. Josef Fritzl fut placé en garde à vue, tandis que sa femme et ses petits-enfants furent conduits dans un hôpital psychiatrique où ils retrouvèrent Elisabeth. Le lendemain de son arrestation, Fritzl avoua qu'il avait séquestré sa fille et était le père de ses enfants. Il se défendit en affirmant qu'il s'agissait d'une relation consentie et que l'incarcération d'Elisabeth avait été nécessaire pour la protéger de « *personnes au sens moral douteux* ». Elisabeth avait refusé de lui obéir à partir de la puberté, ajouta-t-il.

En attendant son procès, Fritzl fut de plus en plus exaspéré par la couverture médiatique de l'affaire. Il finit par transmettre un communiqué via son avocat où il évoquait sa bonté envers sa famille. Fritzl expliqua qu'il aurait pu les tuer, mais s'était abstenu.

Le 16 mars 2009, premier jour de son procès, Fritzl fut accusé de viol, d'inceste, d'enlèvement, de séquestration, d'esclavage, de violence aggravée et du meurtre du bébé, Michael. Il plaida coupable, à l'exception des deux derniers chefs d'accusation. Conformément à l'accord passé avec la police le jour de sa sortie du bunker, Elisabeth ne se rendit pas au tribunal. Le témoignage de la victime de 42 ans fut présenté sous forme d'un enregistrement vidéo de onze heures. L'accusation révéla ensuite qu'Elisabeth avait assisté au procès depuis la tribune du public. Elle s'était grimée pour ne pas être reconnue.

En l'apprenant, Fritzl s'effondra et plaida coupable de toutes les accusations, mettant ainsi fin au procès. Le jour-même, il fut condamné à la prison à vie, sans possibilité de libération conditionnelle pendant quinze ans.

ÉPILOGUE

- **Signes alarmants** : S'exhibait quand il était plus jeune.

- **Façon d'agir** : Avec la construction de son bunker, il signa dans la pierre son besoin de contrôler les autres.

- **Découverte capitale** : Quand sa fille de 19 ans, Kerstin, dut être hospitalisée, le monde de Fritzl commença à se fissurer.

- **Défense** : « Je suis né pour violer. J'aurais pu faire bien pire qu'enfermer ma fille. »

- **Condamnation** : Perpétuité (sans possibilité de libération conditionnelle pendant 15 ans).

L'HOMME SANS AMIS

Nom : Thomas Hamilton

Date de naissance : 10 mai 1952

Profession : Ancien commerçant

Enfance : Adopté par ses grands-parents à 2 ans; élevé dans l'idée que sa mère était sa sœur

Nombre de victimes : 17 tués, 15 blessés

À 43 ans, Thomas Hamilton n'avait jamais eu d'amis de son âge. Il préférait passer son temps avec de jeunes garçons. Il affichait tous les signes de la pédophilie, pourtant, il n'a jamais été prouvé qu'il a violé quiconque. Hamilton naquit sous le nom de Thomas Watt le 10 mai 1952 à Glasgow. Peu après, ses parents se séparèrent et en 1955, ils divorcèrent. Avant son quatrième anniversaire, il fut adopté par ses grands-parents maternels qui le rebaptisèrent Thomas Watt Hamilton. Ce n'est qu'en 1985, alors qu'il avait une trentaine d'années, que la femme qu'il considérait comme sa sœur quitta enfin le domicile familial.

Deux ans plus tard, Hamilton et ses parents adoptifs s'installèrent dans la maison où il passerait le restant de sa vie. Fin 1992, sa mère d'adoption décéda et son père partit dans une maison de retraite. À 40 ans, il vécut seul pour la première fois.

Enfant, Hamilton avait été boy scout, un intérêt qu'il conserva une fois adulte. En 1973, il fut nommé assistant chef scout d'une troupe à Stirling. Même s'il avait passé des examens concluant qu'il avait les qualités requises, il y eut bientôt des plaintes au sujet de son commandement. La plus sérieuse portait sur deux occasions où il avait forcé des garçons à dormir avec lui dans un camion. Hamilton expliqua qu'il y avait eu un problème de logement. Quand la situation se reproduisit, une enquête révéla que, dans les deux cas, aucune chambre n'avait été réservée. En conséquence, il perdit son poste et, finalement, son nom fut inscrit sur une liste noire.

Dans les années qui suivirent, il tenta à plusieurs reprises de revenir au scoutisme. En février 1977, Hamilton demanda qu'un comité d'enquête soit formé pour répondre à sa plainte d'avoir été brimé. Il obtint une réponse négative. L'année suivante, il voulut échapper à la liste noire en offrant ses services dans une autre région, mais il échoua.

UN HOMME AU MILIEU DES ENFANTS

Frustré d'être interdit de scoutisme, Hamilton s'impliqua de plus en plus dans des clubs pour jeunes. Dès la fin des années soixante-dix, il en fonda et dirigea au moins une quinzaine, et était actif dans trois d'entre eux – le Dunblane Boys'Club, le Boys' Club et le Bishopbriggs Boys' Club – au moment de sa mort.

Les clubs d'Hamilton s'adressaient en priorité à des garçons de 8 à 11 ans et proposaient comme activités de la gymnastique et des jeux. Même s'il était parfois assisté par des parents, la plupart du temps, Hamilton les dirigeait seul. Il imagina le titre de « Comité des groupes sportifs pour clubs de jeunes » afin de donner l'impression que d'autres adultes participaient à la gestion des associations. En réalité, ce comité n'existait pas.

Quand il perdit son emploi en 1985, les adhésions devinrent une source de revenus pour lui.

Dans la plupart des cas, les clubs étaient initialement très populaires – certains attirant environ 70 garçons – avant de commencer à décliner.

Son idée de la discipline n'était pas la même que celle des parents des jeunes membres. Il imposait des exercices rigoureux et épuisants, jugés militaires par certains volontaires. Certains suggérèrent même qu'Hamilton prenait du plaisir à dominer les garçons.

D'autres remarquèrent qu'il s'intéressait de très près à des enfants en particulier, semblant avoir des préférés. Il recevait des plaintes de parents au sujet de son insistance à faire porter des maillots de bain noirs moulants aux garçons pour la gymnastique. Lorsqu'il les leur donnait, ils devaient se changer dans la salle de sport et non dans les vestiaires.

Son habitude de photographier les enfants en maillots de bain était aussi déconcertante. En 1989, il ajouta la vidéo à sa collection d'images. Quand les parents l'affrontèrent, il expliqua que les photos et les films étaient nécessaires à l'entraînement et la publicité.

Ceux qui virent les vidéos ne purent s'empêcher de noter que les garçons avaient l'air malheureux et mal à l'aise. En outre, l'objectif d'Hamilton semblait s'attarder sur certaines parties de leurs corps. Son domicile contenait des centaines de clichés d'enfants – souvent en maillots de bain noirs – sur ses murs ou dans des albums.

Dès qu'un garçon était retiré de l'un de ses clubs, Hamilton réagissait en écrivant une longue lettre aux parents où il se plaignait des rumeurs et des sous-entendus associés à ses activités. Il remettait en mains propres ces courriers dérangeants la nuit.

Cependant, certains parents appuyaient Hamilton. Lorsqu'en 1983, son bail avec deux collèges fut révoqué à cause de la révélation de ses problèmes avec les scouts, il obtint 30 lettres de soutien de leur part. En conséquence, il conserva sa place.

Outre les clubs, Hamilton dirigeait des colonies de vacances. Elles s'adressaient en général à des garçons d'environ 9 ans, au nombre de douze maximum.

On ignore combien il en organisa exactement. Il affirma que la colonie de juillet 1988 sur l'île d'Inchmoan sur le Loch Lomond était la 55e, mais l'information n'a pas été confirmée.

Néanmoins, ce fut la première à recevoir la visite des forces de l'ordre. À la suite d'une plainte, deux policiers inspectèrent le campement le 20 juillet et constatèrent que les enfants étaient mal nourris et habillés de façon inappropriée. Comme l'un des agents était impliqué dans le scoutisme, Hamilton estima qu'il s'agissait d'une conspiration de la Scouts' Association. Quand une autre de ses colonies de vacances, organisée en juillet 1991, fit l'objet d'une enquête, Hamilton la remplaça par ce qu'il baptisa une « formation sportive résidentielle ». Les garçons dormaient à même le sol de l'école de Dunblane. Là encore, les forces de l'ordre le contrôlèrent.

FRANCHIR LA LIGNE

En 1995, les rumeurs et les sous-entendus dont Hamilton s'était plaint dans ses courriers aux parents causèrent la perte de ses clubs. Trois fermèrent en raison de la baisse des inscriptions et la création d'un nouveau fut annulée faute de participants. Le 18 août, il fit circuler des lettres à Dunblane, destinées à contrer ce qu'il qualifiait de ragots trompeurs propagés par les responsables des scouts. Il voulut se débarrasser de sa réputation en fondant un nouveau club à 40 kilomètres de là, à Bishopbriggs.

Les plaintes contre Hamilton étaient désormais fréquentes. Cependant, si sa conduite était préoccupante, il n'avait pas encore franchi la ligne vers la criminalité.

Photo d'un élève prise par Gwen Mayor peu avant qu'Hamilton n'abatte l'enseignante avec seize enfants de l'école primaire de Dunblane.

Peu après 8 h au matin du 13 mars 1996, un voisin vit Hamilton gratter la glace sur un camion de location blanc devant sa maison de Stirling. Ils échangèrent des banalités.

Peu après, au volant du véhicule, Hamilton effectua les 10 kilomètres le séparant de la ville de Dunblane, arrivant aux alentours de 9 h 30 sur le parking de l'école primaire de la ville, lieu de son massacre programmé.

Se garant près d'un poteau télégraphique, il en coupa les fils. Hamilton devait croire qu'il desservait l'école, alors qu'en réalité, il alimentait les maisons voisines. Sous sa veste, il portait quatre étuis contenant des revolvers et arborait un bonnet et des protections pour les oreilles. Prenant un gros sac photo, Hamilton traversa le parking et entra dans l'école par une porte latérale. La journée de classe avait commencé depuis une demi-heure quand il pénétra dans le gymnase. Il y trouva deux professeurs, une assistante et 28 élèves, âgés de 5 à 6 ans. Hamilton fit quelques pas, leva son revolver et se mit à tirer rapidement et

Après Dunblane, le ministre de l'Intérieur, Michael Howard, modifia la loi sur les armes à feu.

sans discrimination. Il toucha à quatre reprises la professeure d'éducation physique, Eileen Harrild, dont une fois dans le sein gauche. L'autre enseignante, Gwen Mayor, 47 ans, fut tuée sur le coup. L'assistante, Mary Blake, aussi touchée, parvint à se réfugier avec plusieurs enfants dans un placard, hors de sa ligne de mire. Hamilton ne bougea pas et continua à faire feu, abattant un enfant et en blessant d'autres. Il poursuivit sa progression dans le gymnase en tirant en tous sens, s'approcha d'un groupe de blessés et les acheva à bout portant. Quand il reprit ses tirs, il tenta de viser certaines cibles. Il fit feu sur un garçon qui passait devant le gymnase et le rata. Il visa aussi à travers une fenêtre un adulte traversant la cour de récréation. Une fois encore, il échoua. Sortant du gymnase, il tira à quatre reprises en direction de la bibliothèque de l'école, atteignant à la tête une employée, Grace Tweddle. Il arrosa de balles l'extérieur d'une salle de classe, sans toucher personne. L'enseignante, Catherine Gordon, avait ordonné à ses élèves de se coucher par terre quelques instants auparavant.

Hamilton retourna dans le gymnase et se remit à faire feu au hasard. Il jeta alors son arme, en changea et, la plaçant dans sa bouche, appuya sur la détente.

On estime que le déchaînement meurtrier d'Hamilton dura entre trois et quatre minutes. Les dégâts qu'il provoqua étaient effroyables.

Sur le sol du gymnase gisaient quinze enfants et leur professeur, Gwen Mayor. Hamilton avait touché ces 16 personnes à 58 reprises. Une petite fille, Mhairi Isabel MacBeath, mourut pendant son transport à l'hôpital. Treize autres personnes étaient blessées.

Elles furent conduites à la Stirling Royal Infirmary.

Bien que terrible, le carnage aurait pu être beaucoup plus grave. Une minute environ après le suicide d'Hamilton, à 9 h 41, la police reçut un appel d'urgence.

Elle arriva sur place neuf minutes plus tard et constata qu'Hamilton était arrivé à l'école avec 743 cartouches et en avait employé 106. Il n'avait utilisé que l'un de ses deux Browning.

Ses deux revolvers Smith and Wesson restèrent dans leur étui jusqu'à ce qu'Hamilton en prenne un pour se suicider.

ÉPILOGUE

- **Signes alarmants** : Renvoyé comme chef scout en raison de ses « intentions morales au sujet des petits garçons » ; enquêtes de la police sur ses activités.

- **Planification du crime** : Moins de six mois avant les meurtres, Hamilton racheta des armes ; interrogea un élève chaque semaine pendant deux ans sur la disposition du gymnase et les habitudes de l'école.

- **Répercussions** : Les lois sur le port d'arme au Royaume-Uni furent renforcées ; à la suite d'une amnistie sur les armes à feu, 160 000 pièces furent remises à la police.

« L'ÉVÊQUE » SCHIZOPHÈNE

Nom : Gary Heidnik

Date de naissance :
22 novembre 1943

Profession : Infirmier psychiatrique,
investisseur

Catégorie : Diagnostisqué schizoïde
et réformé de l'armée ; QI de 130

Nombre de victimes :
2 tuées, 6 enlevées

Ellen Heidnik but de l'alcool pendant ses grossesses. Elle but beaucoup. Même à une époque où il était courant de voir une femme enceinte un verre de vin à la main, Ellen se distinguait des autres. À la naissance de son premier enfant, Gary, le 22 novembre 1943 à Eastlake, Ohio, son alcoolisme affectait déjà son mariage. Deux ans et un fils plus tard, son époux demanda le divorce.

Les effets de la séparation assombrirent l'enfance de Gary et de son frère Terry. Initialement, les deux garçons vécurent avec leur mère instable, puis quand elle se remaria, elle les envoya chez leur père, Michael Heidnik, et sa nouvelle femme.

TÊTE DÉFORMÉE

La situation empira pour Gary. Il n'aimait pas sa belle-mère et était brutalisé par son père féru de discipline. Traumatisé, il se mit à faire pipi au lit, ce qui lui valut d'autres punitions. Son père suspendait à la fenêtre de sa chambre les draps mouillés pour lui faire honte devant les voisins. Si cette expérience était horrible, ce ne fut rien comparé à la terreur éprouvée quand Michael le suspendit par les chevilles depuis le deuxième étage.

Ce n'était pas mieux à l'école. On se moquait de Gary à cause de son énurésie et de son physique étrange. Enfant, il était tombé d'un arbre et avait eu la tête déformée. Michael lui compliquait un peu plus la vie en peignant des cibles sur l'arrière de ses pantalons, facilitant la tâche de ceux qui le frappaient. Malgré tout, Gary excellait en classe. Il était invariablement premier et son QI fut évalué à 130.

Son intelligence, associée à son statut de paria, aurait pu contribuer à ses ambitions peu communes. Si la plupart de ses camarades de classe rêvaient de devenir star du baseball, Gary, à 12 ans, voulait gagner une fortune et faire carrière dans l'armée. Il ne perdit pas de temps en entrant à 14 ans à l'Académie Militaire Staunton en Virginie. Une fois encore, Gary s'avéra brillant. Cependant, il n'obtint jamais son diplôme de fin d'étude. Il tenta de reprendre des cours dans deux lycées différents, mais sentant qu'il n'apprenait rien, il quitta l'école à 18 ans et entra dans l'armée.

Il se fit peu d'amis, mais une fois encore, Gary s'illustra. Après avoir fait ses classes, il fut envoyé à San Antonio au Texas, où il devint aide-soignant. Maintenant que sa carrière militaire semblait bien partie, Gary s'attaqua à son autre rêve de toujours : devenir riche. Il complétait sa solde en faisant des prêts avec intérêt à ses collègues. Si ce petit à côté aurait déplu à ses supérieurs, Gary était par ailleurs un militaire exemplaire et intelligent. En 1962, dans un hôpital de campagne en Allemagne de l'Ouest, il obtint des notes quasi parfaites à l'équivalent du baccalauréat.

Tout s'acheva quelques mois plus tard.

En août, Gary se mit à souffrir de nausées, de vertiges et de troubles de la vue. Les médecins qui s'occupèrent de lui évoquèrent deux causes : une grippe intestinale et un « trouble de la personnalité schizoïde ». Avant la fin de l'année, il fut renvoyé chez lui avec les honneurs et une pension d'invalidité. Puisque l'un de ses deux rêves était brisé, Gary intégra l'Université de Pennsylvanie. Le choix de ses matières – chimie, histoire, anthropologie et biologie – laissait supposer qu'il se cherchait. Il échoua cependant. Grâce à sa formation médicale militaire, il se fit embaucher dans deux hôpitaux de Philadelphie où il s'avéra incompétent.

Désormais au chômage, ses excentricités s'épanouirent alors que son hygiène personnelle déclinait. Gary se mit à porter une veste en cuir par tous les temps, en toutes circonstances. S'il ne voulait pas être dérangé, il le signalait aux autres en remontant une jambe de son pantalon. Puis il y eut les tentatives de suicide, les siennes, celles de son frère et de sa mère. Elles furent très fréquentes – plusieurs dizaines – mais seule Ellen finit par réussir. En 1970, cette alcoolique mariée quatre fois mit fin à sa vie en absorbant du mercure.

Les deux frères Heidnik passèrent des années à séjourner dans des institutions psychiatriques. Pourtant, malgré ses périodes d'enfermement, Gary commença à accumuler la fortune qu'il désirait depuis l'enfance. En 1971, il fonda sa propre église, The United Church of the Ministers of God, et se nomma évêque. Il n'avait que quatre fidèles, dont deux proches, sa petite amie attardée mentale et son frère.

SUR SA LANCÉE

Une fois prêtre, Gary se lança dans les investissements. Il acheta des biens immobiliers et joua en bourse, engrangeant de gros profits quand l'empire Playboy d'Hugh Hefner fut introduit sur le marché en 1971. Mais il perdait de plus en plus le contrôle. Gary devint l'un

Le quartier de Gary avait connu des jours meilleurs et il y avait des dealers plein les rues.

de ces individus que l'on décrit comme « connu par les services de police ». En 1976, par exemple, il utilisa un revolver sans permis et tira en plein visage de l'un de ses locataires. Et incroyablement, il n'alla pas en prison avant 1978. Sa peine de trois à sept ans d'emprisonnement n'avait cependant rien à voir avec cet incident. Gary venait d'être jugé coupable d'enlèvement, de séquestration, de viol, de pratiques sexuelles déviantes et de garde abusive d'une personne internée.

Gary avait fait sortir la sœur de sa petite amie d'une institution psychiatrique et l'enferma dans sa cave. Il viola la jeune femme et lui donna une blennorragie. Au milieu de ses quatre années d'incarcération, il transmit un petit mot à un gardien disant qu'il ne pouvait plus parler car Satan lui avait fait avaler de force un cookie. Gary resta silencieux pendant plus de 27 mois.

Libéré en avril 1983, il retourna à Philadelphie et reprit son rôle d'évêque dans son église. Même si sa congrégation n'avait pas beaucoup augmenté, elle comprenait parfois des femmes attardées mentales qu'il fécondait.

Si Betty Disto, sa première femme, ne s'aperçut pas immédiatement de sa conduite étrange et de son manque d'hygiène, c'est parce que le couple se fiança sans s'être jamais vu. Ils s'étaient rencontrés par agence matrimoniale et correspondaient depuis deux ans quand, en septembre 1985, Betty quitta les Philippines pour les États-Unis. Leur mariage, en octobre, ne dura que trois mois. Betty ne supportait pas de voir son époux au lit avec d'autres femmes, mais elle n'avait pas le choix car il l'obligeait à regarder. Battue, violée et menacée, Betty, enceinte, s'enfuit de chez lui avec l'aide de la communauté philippine locale.

Betty partit début 1986, mais la vie de Gary s'effondra littéralement vers la fin de cette même année. Le soir du 26 novembre, Gary enleva sa première victime, une prostituée appelée Josefina Rivera. Elle attendait sous la pluie, dehors, lorsque Gary la fit monter dans sa Cadillac Coupe de Ville. En route, il s'arrêta chez McDonald et lui paya un café. Elle ne fit aucune objection lorsqu'il l'emmena chez lui, une maison délabrée au 3520 North Marshall Street.

Il y avait quelque chose de surréaliste dans cette situation. La maison de Gary avait connu des jours meilleurs, comme le reste de son quartier. Des décennies auparavant, des ouvriers allemands immigrés y vivaient. Les rues étaient alors impeccables, mais à présent, elles étaient jonchées d'ordures. Des dealers y vendaient du crack et de la marijuana aux conducteurs passant par là. La pauvreté avait tout envahi et pourtant Gary avait une Rolls-Royce dans son garage.

La porte de sa maison semblait sortie d'un film pour enfants. En la poussant, Josefina constata que Gary avait collé des centaines de centimes sur les murs de sa cuisine. En montant à l'étage vers la chambre, elle réalisa que l'entrée était tapissée de billets de cinq dollars. La maison était un reflet de son propriétaire. Les bijoux en or et la Rolex de Gary contrastaient violemment avec ses vêtements sales et déchirés.

Comme le restant de la maison, la chambre était peu meublée. Il n'y avait qu'un lit, deux chaises et une armoire. Gary donna à Josefina la somme d'argent promise – 20 dollars – et se déshabilla. Le rapport sexuel énergique et sans émotion ne dura que quelques minutes. Josefina se sentait mal à l'aise avec Gary, mais ce qui se passa ensuite la stupéfia. Il l'attrapa par la gorge et l'étrangla jusqu'à ce qu'elle s'évanouisse. Sa perte de conscience fut brève, mais donna à Gary le temps de la menotter.

Il ordonna à Josefina de se lever et la fit descendre à la cave. La pièce était froide, humide et sale, comme le vieux matelas où il la força à s'asseoir. Une partie du sol en ciment avait été cassée. Il lui attacha des chaînes aux chevilles, puis se mit à creuser la terre exposée. Il parlait tout en travaillant, disant à la prostituée qu'il avait eu quatre enfants de quatre femmes différentes, mais que les choses s'étaient mal passées. Il n'avait pas de contact avec sa progéniture alors qu'il désirait et méritait une famille.

« *La société me doit une épouse et une grande famille,* expliqua-t-il. *Je veux avoir dix femmes, les retenir ici et leur faire des enfants. Et quand elles accoucheront, je veux élever les enfants ici. Nous formerons une grande et heureuse famille.* »

Sur cette dernière phrase, il la viola.

ÉVASION ET HURLEMENTS

Restée seule, Josefina tenta se s'échapper. Ayant dégagé une de ses chevilles, elle réussit à ouvrir une fenêtre de la cave et à se faufiler dehors. Elle rampa aussi loin que le permettait la chaîne autour de son autre cheville et se mit à hurler du plus fort qu'elle put. Mais dans le quartier de Gary, ce genre de cris était monnaie courante. Seul Gary prêta attention au bruit.

Il descendit, empoigna la chaîne et ramena sa victime dans la cave. Le matelas répugnant était trop bon pour elle à présent. La traînant sur le sol en ciment, il la jeta dans la fosse qu'il avait creusée. Il la recouvrit d'une plaque de contreplaqué lestée par des poids.

Au bout de trois jours de captivité, elle fut rejointe par une handicapée mentale du nom de Sandra Lindsay. Elle semblait mal comprendre la situation et Gary n'eut pas de mal à lui faire écrire un petit mot à sa famille.

« Chère maman, ne t'inquiète pas. Je vais t'appeler. »

Ce fut la dernière fois que la mère de Sandra eut des nouvelles de sa fille.

Josefina et Sandra passèrent des semaines ensemble. Elles étaient dans la fosse et parfois, enchaînées aux canalisations de la cave. Elles furent violées, battues et souffrirent du froid pénétrant.

Le 22 décembre, Lisa Thomas, 19 ans, une troisième « épouse », les rejoignit. Gary l'attira au 3520 North Marshall Street en lui proposant de la nourriture, des vêtements et un tour à Atlantic City. Au final, elle n'eut droit qu'à un repas et un verre de vin drogué. Quand elle perdit connaissance, Gary la viola et l'emmena dans la cave.

Le soir du Jour de l'An, Gary enleva une quatrième femme, mais Deborah Dudley, 23 ans, n'avait rien de commun avec ses autres « épouses ». Ignorant les conséquences, elle riposta à chaque occasion. Dès qu'elle désobéissait, les trois autres prisonnières étaient battues en même temps qu'elle, ce qui créa des tensions au sein du groupe. Lorsque Gary les encouragea à se dénoncer entre elles, Josefina y vit une chance de gagner sa confiance. Même s'il continuait à la maltraiter, Gary se mit à croire que Josefina y prenait du plaisir.

Jacqueline Askins, 18 ans, sa cinquième femme arriva le 18 janvier. Après l'avoir violée et attachée, Gary surprit les autres avec des plats chinois et une bouteille de champagne. Après des semaines de pain, d'eau et de hot-dogs racornis, elles eurent l'impression de faire un festin.

Cette petite fête improvisée avait une bonne raison. C'était l'anniversaire de Josefina.

CHÂTIMENT

Cependant, tout espoir de voir Gary s'adoucir s'envola bientôt. Au contraire, sa violence augmenta. Lorsqu'il surprit Sandra Lindsay en train d'enlever le contreplaqué recouvrant la fosse, il la suspendit à une poutre par un poignet. Mais il ne la libéra pas rapidement comme s'y attendaient les autres. Il la laissa là pendant des jours. Elle riposta en faisant la grève de la faim et au bout d'un moment, elle sembla incapable de manger. Quand Gary tenta de la gaver, elle vomit.

Le 7 février, Sandra perdit conscience. Gary lui retira enfin la menotte par laquelle elle était pendue et elle s'effondra sur le sol en ciment. Il la jeta dans la fosse, assurant aux autres femmes qu'elle jouait la comédie. Puis quelques minutes plus tard, il affirma qu'elle était morte. Les femmes le virent transporter le cadavre à l'étage et entendirent le bruit d'une tronçonneuse. Plus tard dans la journée, l'un de ses chiens entra dans la cave, tenant dans sa gueule un os couvert de viande fraîche.

En l'espace de quelques jours, la maison et la cave s'imprégnèrent d'une odeur épouvantable. Gary avait du mal à se débarrasser du corps de Sandra. Il broya ce qu'il put avec son blender, donnant la viande à ses chiens et ses prisonnières, mais il ne savait pas quoi faire de certaines parties. La tête coupée de Sandra resta dans un récipient d'eau bouillante pendant des jours et sa cage thoracique fut rôtie au four. L'odeur se propagea aux maisons alentour et les voisins s'en plaignirent. La police s'en inquiéta et crut Gary lorsqu'il expliqua qu'il avait cuisiné de la viande avariée. Pendant ce temps, les tortures subies par les femmes s'intensifièrent. Gary se mit à leur donner des coups de tournevis dans les oreilles, pensant que si elles étaient sourdes, elles seraient plus contrôlables. Il retira aussi l'isolant sur des rallonges électriques pour leur administrer des décharges.

Josefina échappa aux châtiments en devenant son assistante. Le 18 mars, elle mit au point une torture élaborée. La fosse fut d'abord remplie d'eau et les autres femmes enchaînées y furent précipitées. Puis ils replacèrent le contreplaqué et les poids. Enfin, la rallonge dénudée fut insérée dans un trou et électrocuta les captives.

La deuxième de ces décharges tua Deborah Dudley et entraîna un changement majeur dans la relation entre Gary et Josefina. Comme elle avait participé à la torture et la mort de Deborah, elle était sa complice. Cela la rendait digne de confiance, ou du moins le croyait-il. Pour la première fois en presque quatre mois, elle eut l'autorisation de quitter la cave. Elle partagea le lit de Gary, dîna avec lui au restaurant et l'aida à faire les courses. Elle l'accompagna même à la campagne où il se débarrassa du cadavre de Deborah.

Le 24 mars 1987, un jour après qu'elle l'avait aidé à enlever une nouvelle femme, Agnes Adams, Josefina persuada Gary de la laisser voir ses enfants. Elle lui promit de revenir avec une « épouse » de plus. Gary la déposa et l'attendit dans la voiture. Mais Josefina n'était pas allée voir ses enfants. Elle n'en avait pas. Elle se précipita en fait dans l'appartement de son petit ami où elle raconta son histoire étrange, à la limite du crédible.

En voyant ses cicatrices provoquées par ses chaînes, les policiers foncèrent arrêter Gary. Ses « femmes » survivantes furent sauvées quand les inspecteurs convergèrent sur le 3520 North Marshall Street le lendemain matin.

Le procès de Gary débuta le 20 juin 1988. Dès le début, ses avocats tentèrent de prouver que l'ancien aide-soignant était dément.

Ils appelèrent à la barre un psychiatre et un psychologue, en vain. Dix jours plus tard, il fut jugé coupable de deux meurtres, de quatre faits de violence aggravée, de cinq viols et de six enlèvements. Il fut condamné à mort.

Le 6 juillet 1999 au soir, 11 ans après sa condamnation, Gary Heidnik fut exécuté par injection létale. Sans surprise, sa famille ne réclama pas son corps. Michael Heidnik, son père, ne l'avait pas vu depuis le début des années 1960. Lorsqu'il apprit sa mort, il fit une brève déclaration à la presse :

« Ça ne m'intéresse pas. Je m'en moque. Ça ne me dérange pas le moins du monde. »

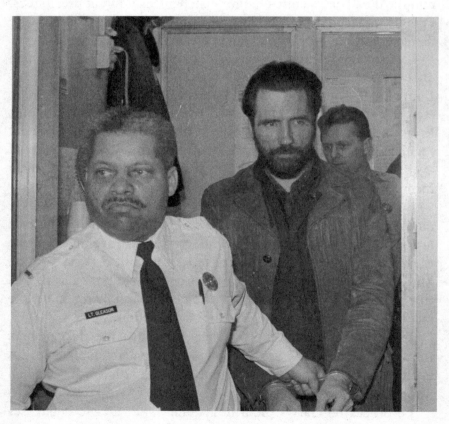

Gary Heidnik sortant de garde à vue.

ÉPILOGUE

- **Signes alarmants** : Accusé de voies de fait graves après avoir tiré sur l'un de ses locataires en 1976 ; tapissa son entrée de billets de banque ; obsédé par les serrures et les clés ; inventa et dirigea son propre culte.

- **Façon d'agir** : Après le viol et l'agression conjugale, devint violeur en série et séquestra ses victimes.

- **Découverte capitale** : Heidnik autorisa sa « petite amie » à rendre visite à sa famille ; elle se rendit à la police.

- **Condamnation** : Peine de mort (son dernier repas consista en deux tasses de café et quatre tranches de pizza).

L'ANTRE DE SATAN

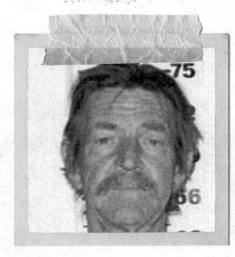

Nom : David Parker Ray

Date de naissance :
6 novembre 1939

Profession : Mécanicien

Catégorie : Tueur organisé à
multiples partenaires

Condamnations précédentes :
Problèmes avec la loi pour des
histoires de drogue et d'alcool

Nombre de victimes : 14 à 60

D ans le passé, Truth or Consequences au Nouveau-Mexique était
un lieu de détente. Les premières touristes y débarquèrent il y a
plus de cent ans. Ils venaient se plonger dans les eaux du Geronimo
Springs au John Cross Ranch. C'était le premier des dizaines de
spas qui virent le jour autour des sources chaudes parcourant cette
petite ville de moins de 8 000 âmes. La communauté se bâtit autour
de ce phénomène naturel, si important pour l'économie locale
qu'elle s'appelait à l'origine Hot Springs (sources chaudes – ndt).
Elle devint Truth or Consequences en 1950, lorsqu'un célèbre quiz

La police pense que David Parker Ray aurait pu tuer jusqu'à 60 personnes dans la ville de Truth or Consequences.

radiophonique annonça qu'il serait enregistré dans la première ville qui prendrait son nom.

Le 26 juillet 1996, le bureau du shérif de Truth or Consequences reçut un appel d'un jeune marine. La veille, il s'était disputé avec sa femme Kelly Van Cleave et elle n'avait pas donné signe de vie depuis. Le mari anxieux n'eut droit qu'à quelques paroles réconfortantes. Son épouse était partie depuis trop de temps pour être considérée comme disparue. D'après leur expérience, Kelly allait revenir.

Effectivement, la jeune femme revint à la maison le lendemain. Elle était raccompagnée par un employé du parc voisin d'Elephant Butte où on l'avait retrouvée errante, hébétée et incohérente. Kelly ne se souvenait que de quelques-unes des heures pendant lesquelles elle avait disparu. Après la dispute avec son mari, elle était allée chez une amie puis dans plusieurs bars. Dans le dernier, le Blue Waters Saloon, elle avait commandé une bière, son premier verre de la soirée.

Elle fut vite prise d'étourdissements. La sensation était proche de l'état d'ébriété, mais quelque chose clochait. Kelly ne se rappelait plus de rien ensuite, même si elle était sûre qu'une vieille amie, Jesse Ray, avait proposé de l'aider. Ces heures manquantes mirent fin à son mariage. Son époux n'accepta jamais sa disparition, ni son apparente amnésie.

CAUCHEMARS

Jesse Ray aurait pu l'aider... mais elle était introuvable. Kelly quitta bientôt Truth or Consequences pour de bon. Elle ne revit jamais Jesse.

Après sa séparation, Kelly se mit à faire des cauchemars. Les images horrifiques étaient d'une constance remarquable : elle se voyait attachée à une table, bâillonnée avec de l'adhésif, un couteau sous la gorge. Comme rien de tout cela n'avait de sens, Kelly ne signala pas à la police son expérience étrange. Le bureau du shérif de Truth or Consequences n'avait dans ses archives que ce coup de fil en apparence sans importance d'un mari jaloux. Les policiers ne pouvaient pas se douter que la femme qui vint les trouver le 7 juillet 1997 avait des informations relatives à la disparition de Kelly.

Elle venait signaler qu'elle n'avait pas eu de nouvelles de sa fille de 22 ans, Marie Parker, depuis plusieurs jours. Cette fois, il y aurait une enquête. Dans une si petite ville, il n'était pas difficile de retracer les allées et venues d'une jeune femme. Marie avait été vue pour la dernière fois le 5 juillet au Blue Waters Saloon. Elle avait pris un verre avec Jesse Ray. Jesse dit aux policiers que Marie avait beaucoup bu et qu'elle l'avait raccompagnée chez elle. Elle ne l'avait pas vue depuis.

Mais Jesse n'était pas la seule personne avec qui Marie avait bu le soir de sa disparition. Roy Yancy, son ancien petit ami, était aussi présent au Blue Waters Saloon. Natif de Truth or Consequences, il n'avait pas un passé brillant. Enfant, il avait fait partie d'un gang qui rôdait dans les rues de la ville, étranglait les chats, empoisonnait les chiens et renversait les pierres tombales, des actions qui provoquèrent l'annulation des festivités d'Halloween cette année-là. Il fut aussi exclu de la marine pour mauvaise conduite.

Marie avait pu passer la soirée avec un individu peu recommandable, mais les hommes du shérif ne voyaient rien de surprenant à son absence dans une ville connue pour sa population fluctuante. Ils étaient prêts à accepter un témoignage même vague racontant que la jeune fille était montée en voiture et partie. C'était une histoire courante.

À cette même période, une jeune femme arriva dans la petite ville. Le parcours de Cindy Hendy n'avait rien d'enviable. Victime d'abus sexuels, elle avait subi les attouchements de son beau-père avant d'être jetée à la rue à 11 ans. Adolescente, Cindy s'était retrouvée mère, mais sa fille avait été confiée à une autre famille. Lorsqu'elle arriva à Truth or Consequences, Cindy était en cavale pour une affaire de drogue. Quelques mois plus tôt, elle avait fourni de la cocaïne à un policier en civil. Violente et soupe au lait, elle atterrit bientôt à la prison locale avant d'être envoyée au lac d'Elephant Butte pour des travaux d'intérêt général. C'est là qu'elle rencontra David Parker Ray, le père de son amie Jesse.

C'était un homme discret, mais d'un abord facile et amical. Ray avait eu une enfance douloureuse. Négligé par sa mère, il voyait rarement son père, vagabond et alcoolique. À chacune de ses visites, ce dernier lui laissait un sac de magazines porno dépeignant des actes sadomasochistes. Adulte, Ray enchaîna les mariages et les emplois. Il mena une existence instable jusqu'en 1984, où il s'installa avec sa quatrième femme à Elephant Butte. Ayant fait l'acquisition d'un pavillon délabré sur un petit terrain, Ray gagnait sa vie en réparant les moteurs d'avion.

En 1995, sa femme le quitta. La quatrième Mme Ray serait sa dernière épouse, mais pas sa dernière compagne. En janvier 1999, Cindy Hendy emménagea chez lui. Même s'il avait vingt ans de plus qu'elle, elle s'en moquait : à 38 ans, elle avait rencontré l'âme sœur, quelqu'un, qui, comme elle, était obsédée par le sadomasochisme.

NOUVELLE VENUE

Cindy vivait avec Ray depuis un mois lorsque, le 16 février, elle invita Angie Montano. La jeune mère célibataire venait d'arriver à Truth or Consequences et cherchait à se faire des amis. Elle n'avait pas frappé à la bonne porte et se retrouva les yeux bandés, attachée sur un lit et agressée sexuellement. Mais les penchants sadiques de Ray et Cindy ne se limitaient pas au viol. Angie reçut des chocs d'aiguillon pour le bétail et d'autres appareils que Ray avait fabriqués. Au bout de cinq jours, Angie réussit à convaincre Ray de la libérer. Il la conduisit sur l'autoroute la plus proche et la relâcha. Par un coup de chance, un policier au repos la fit monter dans sa voiture. Angie lui raconta son histoire, mais refusa de faire une déposition officielle. Comme Kelly Van Cleave quatre ans plus tôt, Angie quitta définitivement Truth or Consequences.

Tandis qu'Angie Montano était torturée, Cindy avait parfois l'esprit ailleurs. À 39 ans à peine, elle allait devenir grand-mère.

Elle s'était organisée pour assister à l'accouchement dans son ancienne ville de Monroe, Washington, mais elle devait d'abord trouver une esclave sexuelle pour Ray, quelqu'un pour satisfaire ses besoins en son absence.

Le 18 mars, ils sillonnaient les rues d'Albuquerque dans le vieux camping-car de Ray quand ils virent Cynthia Vigil. Ils n'eurent aucun mal à faire monter dans leur véhicule, puis à maîtriser la prostituée de 22 ans. Une fois attachée, Cynthia fut ramenée dans le pavillon d'Elephant Butte où le couple l'enchaîna, lui banda les yeux et la bâillonna avant de lui faire écouter un enregistrement de la voix de Ray.

« Bonjour, salope. On passe encore cette cassette. Ça veut dire que j'ai ramassé une pute de plus. Et je parie que tu te demandes ce qui se passe. »

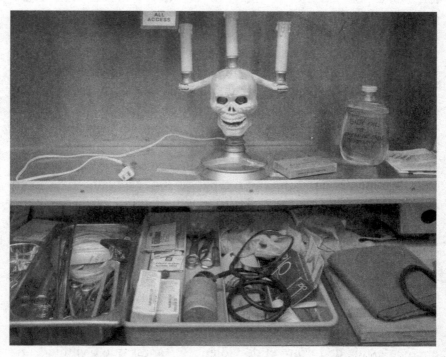

Le « coffre à jouets », une chambre de torture mobile, faisait la fierté de Ray. Il dépensa 100 000 dollars pour l'aménager.

Il s'agissait des premières phrases d'un enregistrement durant plus de cinq minutes. Ray décrivait ensuite la façon dont lui et « son amie » allaient la violer et la torturer.

« *Il est nécessaire de te bâillonner,* expliquait-il, *parce que dans un moment, tu vas pas mal gueuler.* »

Fidèles à ces paroles, Ray et Cindy torturèrent et violèrent la prostituée pendant les trois jours suivants. Les agressions n'eurent aucun effet sur le travail de Ray. Au bout du quatrième jour, il enfila son uniforme de garde de parc et partit. Il chargea Cindy de contrôler leur victime, mais elle n'était pas à la hauteur. Elle était même totalement négligente.

Lorsque Cindy quitta la pièce pour se faire des sandwiches à l'heure du déjeuner, la jeune prostituée remarqua qu'elle avait oublié les clés de ses chaînes. Elle se libéra puis empoigna le téléphone pour appeler le shérif du comté de Sierra. Mais avant qu'elle puisse dire un mot, Cindy revint, une bouteille à la main. Elle frappa violemment la prostituée, la blessant avec du verre cassé. En tombant, Cynthia remarqua un pic à glace sur le sol. Elle le prit aussitôt et le planta dans la nuque de sa ravisseuse.

Ce n'était pas un coup fatal, mais Cynthia eut le temps de s'enfuir. Nue, à l'exception d'un collier de chien et d'une chaîne, elle courut dans la rue poussiéreuse en terre battue. Les conducteurs de plusieurs voitures la remarquèrent, mais firent simplement une embardée pour éviter la femme choquée et en sang. Au bout de deux kilomètres environ, elle tomba sur une caravane. Elle força la porte et s'effondra aux pieds d'une femme qui regardait la télé.

SCÈNE DU CRIME

Quelques minutes après le premier appel avorté de Cynthia, le shérif du comté de Sierra en reçut un second. Quand les forces de l'ordre arrivèrent dans la caravane, ils entendirent une histoire cauchemardesque de torture et de violences. Tandis que Cynthia Vigil

La police du Nouveau-Mexique montre l'équipement à bord du semi-remorque de Ray.

était transportée à l'hôpital local, les services du shérif décidèrent de contacter la police d'État.

Plus d'une douzaine d'hommes convergèrent sur le pavillon de Ray et constatèrent que Cindy s'était enfuie.

La maison était en désordre, le sol couvert d'ordures. Le seul semblant d'ordre se trouvait dans les instruments de torture de Ray, fixés à des crochets sur les murs de plusieurs pièces. Dans sa bibliothèque se trouvaient des livres sur le satanisme, les tortures et la pornographie violente. Il avait aussi des ouvrages médicaux, qui lui permettaient sans doute de mener à bien beaucoup de ses fantasmes.

Ray et Cindy étaient désormais recherchés. La traque fut aussi courte que facile. Le couple n'avait pas pris la fuite, mais sillonnait les routes voisines pour retrouver sa prisonnière. Ray et Cindy furent repérés en un quart d'heure, à deux pâtés de maisons de chez eux. Ils admirent chercher Cynthia Vigil et donnèrent une explication invraisemblable à leurs actions. L'enlèvement de la prostituée avait été un geste humanitaire, affirmèrent-ils. Ils l'avaient confiné pour l'aider à se désintoxiquer de l'héroïne.

Cette histoire ne trompa personne. Arrêtés, Ray et Cindy furent placés en garde à vue. Dès le début de la perquisition chez Ray, les autorités s'aperçurent qu'ils n'avaient pas les ressources nécessaires pour traiter leurs découvertes. Le lieutenant Richard Libicer de la police du Nouveau-Mexique expliqua la situation.

«Je pense qu'on peut affirmer n'avoir jamais vu ce qui se trouve dans cette maison, sauf au cinéma, peut-être. Cela dépasse largement le domaine de notre expérience.»

Les menottes, les poulies et les autres instruments de torture dans le pavillon semblaient banals comparés à ce qu'ils trouvèrent dans un semi-remorque cadenassé garé dehors.

Ce que Ray appelait son « coffre à jouets » contenait des centaines d'appareils de cauchemar. La plupart, comme une machine servant à électrocuter les seins des femmes, avait été conçus et construits par l'ancien mécanicien. Au cœur de cette horreur se trouvait une table de gynécologie, entourée de caméras pour que les prisonnières voient ce qu'on leur faisait. Ray avait aussi filmé ses agressions, dont celle de Kelly Van Cleave. Un employé l'avait soi-disant retrouvée errant dans un parc. Il s'agissait de David Parker Ray.

Ces vidéos furent une révélation. Elles permirent d'abord de lier Jesse Ray aux crimes de son père. Les preuves sur Kelly s'avérèrent utiles, mais le témoignage le plus important provint de Cindy Hendy. Quelques jours après son arrestation, la femme de 39 ans se retourna contre son petit ami. Elle dit aux enquêteurs que Ray enlevait et torturait des femmes depuis des années. Il lui avait même dit que ses fantasmes s'achevaient souvent en meurtre.

Jesse Ray enlevait des jeunes femmes pour le compte de son père.

Des fouilles dans le lac voisin et les environs ne donnèrent rien, mais la police reste convaincue que Ray a tué au moins une personne. Cindy confirma aussi la participation de Jesse à certains enlèvements. Elle ajouta qu'elle avait souvent travaillé avec Roy Yancy.

PAS SI DUR QUE ÇA

Malgré sa dureté apparente, Roy s'effondra une fois arrêté. Il dit à la police que Jesse et lui avaient drogué Marie Parker, la jeune femme disparue trois ans plus tôt. Ils l'avaient emmenée à Elephant Butte pour la torturer. Quand Ray s'était lassé d'elle, il avait demandé à Roy de tuer celle qui avait été sa petite amie.

On ne retrouva jamais le cadavre

Roy Yancy plaida coupable de meurtre et fut condamné à 20 ans de prison.

Ayant plaidé coupable de l'enlèvement de Kelly Van Cleave et Marie Parker, Jesse Ray reçut une peine de neuf ans.

Risquant 197 ans d'emprisonnement, Cindy Hendy passa un accord avec l'accusation. Elle plaida coupable de ses crimes contre Cynthia Vigil et fut condamnée à 36 ans de prison, assortis d'une mise à l'épreuve de 18 ans.

Ray parut coopérer avec les forces de l'ordre, mais se limita à décrire ses fantasmes. Il nia avoir enlevé ou assassiné qui que ce soit. Ses activités sadomasochistes s'étaient déroulées entre adultes consentants.

« *J'avais du plaisir quand les femmes en avaient,* dit-il à un des inspecteurs. *Je faisais ce qu'elles voulaient que je fasse.* »

Ray eut trois procès pour ses crimes contre Kelly Van Cleave, Cynthia Vigil et Angie Montano. Il fut reconnu coupable dans le premier cas, mais au milieu du suivant, il négocia à son tour. Il accepta de plaider coupable en l'échange de la libération de Jesse. L'affaire d'Angie Montano ne passa jamais en justice, car elle avait succombé à un cancer.

Le 30 septembre 2001, David Parker Ray reçut une peine de 224 ans pour ses crimes contre Kelly Van Cleave et Cynthia Vigil. Au final, il fit à peine un an de prison. Le 28 mai 2002, il s'écroula dans sa cellule, victime d'une crise cardiaque.

« Satan a une place pour vous. J'espère que vous brûlerez pour toujours en enfer, » lui avait un jour crié la grand-mère de Cynthia Vigil.

On peut se demander si ses mots signifièrent quelque chose pour lui. Le seul panneau accroché dans son « coffre à jouets » disait : « repaire de Satan ».

ÉPILOGUE

- **Signes alarmants** : Collectionnait les gadgets SM qu'il appelait ses « amis ».

- **Façon d'agir** : Ascension dans les enlèvements et la torture des femmes.

- **Découverte capitale** : Évasion d'une victime, Cynthia Vigil.

- **Défense** : « Mon arrestation m'a donné le temps de réfléchir, lire ma Bible et me réconcilier avec Dieu ».

- **Condamnation** : 224 ans de prison (Ray mourut d'une crise cardiaque au bout de huit mois).

LES LARMES D'UN TOURMENTEUR

Nom : Cameron Hooker

Date de naissance : 5 novembre 1953

Profession :
Ouvrier dans une scierie

Enfance : Timide et refoulé pendant l'enfance

Catégorie : Sadique violent dépendant à la pornographie

Nombre de victimes : 1

C ameron Hooker avait l'air d'un type sans histoire. Un peu empoté et pas particulièrement brillant, il n'était pas non plus stupide. Tout ce qu'on pouvait dire de lui, en tout cas, c'est qu'il était doué de ses mains. Ce talent lui permit de réaliser ses fantasmes et de faire vivre un cauchemar de sept ans à une très malchanceuse jeune femme.

Né en 1953 dans la petite ville californienne d'Alturas, Cameron passa le plus gros de sa jeunesse à Red Bluff, une communauté un peu plus importante. Élève médiocre, il se mit à travailler à la scierie locale alors qu'il était encore au lycée. Il dépensait son salaire en magazines pornos orientés vers le sado-masochisme. Les fantasmes

Janice Hooker quitte le tribunal de Red Bluff après sa déposition lors d'une audience.

de Cameron restèrent secrets jusqu'à ce qu'il rencontre, à 19 ans, Janice. De quatre ans sa cadette, c'était une lycéenne terne, timide, peu sûre d'elle et inexpérimentée avec le sexe opposé. Cameron pensa avoir trouvé celle qu'il pourrait former à satisfaire ses désirs. Après une phase d'approche polie, il initia Janice à toutes sortes d'actes sexuels violents comme le bondage, la flagellation et la quasi-asphyxie.

Deux ans plus tard en 1975, Cameron épousa Janice. Cependant, dès le mariage, il avait commencé à se lasser de l'adolescente. Sa nature soumise ne convenait pas bien à ses fantasmes. Cameron voulait une esclave sexuelle.

Et Janice ? Que désirait-elle ? Janice voulait un bébé.

Le jeune couple négocia. Janice pourrait avoir un enfant si Cameron avait une esclave sexuelle. Pendant la grossesse de sa femme, l'ouvrier de la scierie fabriqua plusieurs boîtes en bois conçues pour y enfermer une victime et étouffer ses cris. Il procéda avec grand soin, en s'assurant que personne ne voyait ce qui se passait dans la maison qu'il louait à Red Bluff. Il était si appliqué que la naissance de leur enfant – ou plutôt celui de Janice – ne modifia pas ses plans. Cameron ne se pressait pas. Il fallait que tout soit parfait.

Cameron attendit plusieurs mois après la naissance du bébé pour trouver son esclave. Janice l'accompagna. On peut même dire qu'il l'utilisa comme leurre. Qui aurait soupçonné une mère avec son bébé dans les bras ?

Colleen Stan, une jolie jeune femme de 20 ans venue d'Eugene, Oregon, serait l'esclave de Cameron. Le jeudi 19 mai 1977 au matin, elle partit de chez elle pour rendre visite à une amie à Westwood, en Californie, à environ 800 kilomètres au sud.

Colleen se moquait de n'avoir ni argent, ni voiture, car elle estimait être une auto-stoppeuse expérimentée. Dès le milieu de l'après-midi, elle avait déjà parcouru 560 kilomètres jusqu'à Red Bluff, à une heure et demie de sa destination finale. Son arrivée dans la petite ville californienne marqua le début de la portion la plus difficile de son voyage. Jusqu'à présent, elle avait circulé sur une autoroute passante, mais pour aller à Westwood, elle devait passer sur la Route 36, beaucoup moins empruntée par les voitures.

Tout près du but, Colleen continua cependant à se montrer prudente, refusant de monter dans les deux premières voitures qui s'arrêtèrent. La troisième fut la Dodge Colt bleue de Cameron. Lorsqu'elle s'aperçut que le conducteur souriant était accompagné par une femme et un bébé, ses craintes s'envolèrent. Mais peu à peu, Colleen se sentit mal à l'aise. Elle remarqua que Cameron la fixait dans le rétroviseur.

Dans d'autres circonstances, ce genre de signe l'aurait poussée à partir. D'ailleurs, quand la voiture s'arrêta dans une station-service, Colleen se réfugia dans les toilettes et envisagea de prendre la fuite.

« Une voix m'a dit de sauter par la fenêtre et de courir sans me retourner, » confia-t-elle plus tard.

Colleen Stan fut emprisonnée par les Hooker pendant sept ans.

Mais il y avait la femme et le bébé. L'homme ne ferait sûrement rien en leur présence.

Colleen remonta donc en voiture, sans se douter qu'elle ne serait plus libre avant très longtemps. À peine sortis de la station-service, les Hooker dirent qu'ils allaient faire un tour dans des grottes voisines. Cameron engagea la Dodge sur une route de campagne et s'arrêta au bout de quelques minutes. La famille sortit de la voiture, mais Cameron fit demi-tour. Se jetant sur la banquette arrière, il mit un couteau sous la gorge de Colleen. Terrifiée et craignant d'être tuée, elle le laissa lui bander les yeux, la bâillonner et la menotter. Puis Cameron verrouilla une grosse boîte en contreplaqué isolée autour de sa tête.

Quand Janice et le bébé remontèrent en voiture, Cameron repartit à Red Bluff avec son trophée, s'arrêtant quand même en chemin pour aller dans un fast-food. Une fois à la maison, Cameron entraîna Colleen à la cave, où il l'attacha par les poignets avant de la déshabiller et de la fouetter.

Que faisait Janice pendant ce temps ? Elle était sans doute à l'étage avec le bébé, mais descendit à la cave pour avoir un rapport sexuel avec son mari tandis que Colleen était suspendue en face d'eux. Quand le couple eut fini, Cameron détacha sa victime et la poussa dans un coffre aux allures de cercueil. Puis il verrouilla à nouveau la plus petite boîte autour de sa tête avant de partir.

Après cette première scène d'horreur, Colleen fut régulièrement fouettée, battue, étranglée, brûlée et électrocutée. Quand elle ne subissait pas ces tortures, elle était enchaînée dans la plus grosse des boîtes. Finalement, Cameron construisit une petite cellule sous l'escalier de la cave où il forçait son esclave à éplucher des noix et faire d'autres tâches domestiques.

CONTRAT BIZARRE

Au bout de sept mois, Cameron présenta à Colleen un contrat stipulant qu'elle acceptait de devenir son esclave. Même s'il ne s'agissait que d'un morceau de papier, le document ne fit qu'intensifier son cauchemar. Après sa signature sous la contrainte, Cameron lui annonça qu'elle était désormais inscrite dans un organisme appelé « La Compagnie des Esclaves ». C'était une organisation puissante, affirma-t-il, dont les agents surveillaient constamment la maison. Tout acte de désobéissance entraînerait la mort des proches de Colleen, ajouta Cameron.

Comme elle avait signé le contrat, Colleen – rebaptisée « K » – eut accès au reste de la maison de Hooker, ce qui ne signifia pas plus de liberté pour elle. Elle devait désormais se charger de toutes les tâches domestiques. Cameron continua à la torturer et l'interrompait souvent dans son travail pour la fouetter. La situation prit une tournure encore plus dramatique quand il l'emmena dans sa chambre. Ses espoirs de ménage à trois furent réduits à néant par Janice, qui refusa de participer. Cameron viola cependant Colleen quand sa femme quitta le lit conjugal.

Puis la famille déménagea dans un mobil home sur un terrain que Cameron venait d'acheter à la sortie de Red Bluff. Comme il n'avait plus de cave, Cameron emprisonna Colleen dans une nouvelle boîte qu'il glissa sous son lit. Elle entendit ainsi la conception et la naissance du deuxième enfant du couple qui eut lieu juste au-dessus d'elle.

Même si Colleen passait plus de temps sous le lit que dans l'espèce de cercueil dans l'ancienne maison des Hooker, elle avait désormais le droit de sortir. Elle avait des contacts avec les voisins et allait même faire du jogging. Seule sa peur de la Compagnie des Esclaves et des possibles répercussions sur sa famille l'empêchait de s'enfuir.

Quand Cameron constata que Colleen était totalement sous sa coupe, il prit de l'assurance et ses fantasmes changèrent. En 1980, pendant sa quatrième année de captivité, il lui permit d'aller dans un bar avec Janice où elles rencontrèrent des hommes. Cameron ne se montra pas jaloux quand sa femme eut une liaison avec l'un d'eux. Puis il envoya Colleen faire la manche dans les rues de Reno. Elle revenait comme toujours, redoutant la Compagnie des

Une équipe de télé visite le mobil home où vécurent les Hooker.

Esclaves. De plus en plus hardi, Cameron la laissa écrire à ses trois sœurs qui ignoraient jusque-là si elle était encore en vie. Prenant un risque supplémentaire, il l'autorisa à appeler ses parents divorcés en Californie du sud et enfin, il l'emmena leur rendre une petite visite.

Le 20 mars 1981, Colleen, amaigrie et fatiguée, fut déposée chez son père. Elle avait disparu depuis près de quatre ans. La visite fut agréable, mais tendue. Sa famille parla peu, de crainte qu'elle reparte. Le lendemain matin, peu après être allée à l'église avec sa mère, Colleen fut récupérée par Cameron, ou « Mike » comme il se faisait appeler. C'était le nom qu'il avait utilisé sur le contrat d'esclavage trois ans plus tôt.

RETOUR À LA CASE DÉPART

Le retour de Colleen dans le mobil home de Red Bluff signifia un autre changement pour elle. C'était en quelque sorte le genre

La locataire Betty Hayes montre où Colleen fut emprisonnée dans la maison d'Oak Street à Red Bluff.

de traitement qu'elle avait subi au début de son emprisonnement. Cameron s'occupait moins d'elle et la torturait moins souvent. Elle passait la plupart du temps dans la boîte sous le lit. Privée d'exercice et de lumière, elle commença à perdre ses cheveux et à maigrir.

Elle entendit Cameron dire à Janice qu'il voulait une autre esclave, voire plusieurs. Il passa une bonne partie de l'été et l'automne 1983 à creuser un trou près du mobil home pour y construire un cachot. Le plancher et les murs achevés, il y installa Colleen. Mais la pièce souterraine fut rapidement inondée et Colleen retourna dans la boîte.

Après cet échec, Cameron conclut qu'il avait besoin de plus d'espace avant d'enlever d'autres esclaves. Dans ce but, il envoya Colleen travailler au motel King's Lodge local. Comme toujours, elle ne dit pas un mot de sa situation à ses collègues. C'est pourtant là que ses chaînes commencèrent à se desserrer. Le 9 août 1984, Janice vint la chercher au travail, mais le trajet du retour n'eut rien de routinier. Elle dit à Colleen que la Compagnie des Esclaves n'existait pas, que personne ne surveillait le mobil home et que le contrat était faux. En résumé, toutes les menaces de Cameron étaient des mensonges.

LES LARMES DU BOURREAU

Le soir même, les deux femmes planifièrent la fuite de Colleen. Le lendemain matin, elle était dans un bus en route vers la Californie du sud avec, en poche, de l'argent envoyé par son père. Avant de quitter Red Bluff, elle appela Cameron à la gare. Il pleura quand elle lui dit qu'elle s'en allait.

Il y eut d'autres appels téléphoniques.

Même si Colleen n'avait parlé à personne de ses sept ans d'enfer, elle ne pouvait pas oublier les Hooker. Très vite, elle se mit à appeler Janice régulièrement. Il y eut 29 appels en tout, dans lesquels elle encouragea Janice à quitter son mari. Colleen avait pris de l'assurance en découvrant la vérité sur la Compagnie des

Esclaves et tenait tête à Cameron quand il répondait au téléphone. En larmes, il la suppliait de revenir. Les rôles étaient renversés.

Après une tentative ratée, Janice quitta enfin son mari, puis raconta tout au prêtre de sa paroisse, le pasteur Dabney qui appela la police. Le 18 novembre, les Hooker furent arrêtés. Il n'y aurait, cependant, qu'un seul procès, car Janice reçut l'immunité totale en l'échange de sa déposition contre son mari.

Il fallut dix mois pour que l'affaire passe au tribunal. Cameron se défendit en affirmant que Colleen avait été consentante.

Le 28 octobre 1985, Cameron Hooker fut jugé coupable d'enlèvement, de viol et de huit autres délits et condamné à 104 ans de prison.

ÉPILOGUE

- **Signes alarmants** : Quand il fréquentait sa femme, il l'attachait, la suspendait à un arbre et la battait.

- **Façon d'agir** : Les fantasmes sadiques et ritualisés d'Hooker devinrent une préoccupation partagée avec sa femme, Janice, initialement soumise.

- **Découverte capitale** : Dénoncé à la police par un pasteur après les aveux de sa femme.

- **Condamnation** : 104 ans.

LE BANQUET D'UNE CRIMINELLE

Nom : Katherine Knight

Date de naissance :
24 octobre 1955

Enfance : Victime d'abus sexuels
de membres de sa famille ; père
alcoolique

Condamnations précédentes :
Arrêtée pour avoir laissé son bébé
sur les rails d'un train ; prise d'otages
avec un couteau

Nombre de victimes : 1

Katherine Knight travailla dans des abattoirs en Australie et s'y découvrit un talent pour décapiter les cochons. Elle employa les mêmes couteaux pour assassiner son compagnon. John Price fut écorché et décapité ; des morceaux de ses fesses furent découpés sur ce qui restait de son cadavre. Elle effectua ces préparatifs afin de cuisiner un ragoût destiné à ses enfants. Mais ce n'était pas l'œuvre d'une folle. Le tribunal détermina que Katherine était en possession de ses facultés mentales. Elle avait planifié le meurtre, était consciente de mal agir et que ses actes horribles auraient des conséquences.

Le 24 octobre 1955, Katherine Mary Knight vit le jour à Tenterfeld, en Nouvelle-Galles-du-Sud, dans l'une des nombreuses communautés où son père, Ken, avait trouvé un emploi dans un abattoir.

Kath mena une vie de semi-nomade jusqu'en 1969, lorsque ses parents s'établirent à Aberdeen, à 270 kilomètres au nord de Sydney. C'était une petite ville – à peine plus de 1 500 habitants – mais la famille Knight était nombreuse, avec huit enfants, dont Kath et sa jumelle.

BRUTE

À peine instruite, Kath n'était pas douée pour les études ; elle fit pourtant forte impression à l'école en se comportant comme une brute. À 16 ans, suivant les traces de son père, son frère et sa jumelle, Kath devint employée dans un abattoir. L'année suivante, elle rencontra David Kellett, un routier de 22 ans et emménagea avec lui. Le couple se maria en 1974, un heureux événement gâché quand la jeune épouse tenta d'étrangler son mari, déçue par ses performances au cours de la nuit de noces.

Les violences évoluèrent au cours de leur relation. Un jour, ce qui peut sembler insignifiant en comparaison, Kath brûla tous les vêtements de David. Au début de leur union, il arriva un matin au travail avec l'empreinte d'un fer à repasser sur la joue. Le routier se réveilla également en pleine nuit et trouva sa femme assise sur sa poitrine, pointant un couteau sur sa gorge.

Malgré tout, il resta assez longtemps avec Kath pour avoir avec elle une fille, Melissa, en 1976. Ce fut un instant de bonheur dans une période plutôt désagréable.

« Je n'ai jamais levé le petit doigt contre elle, raconta David, pas même pour me défendre. Je suis simplement parti. » Deux mois après, il quitta donc sa femme pour une autre.

Afin de se venger, Kath déposa Melissa sur des rails quelques minutes avant le passage d'un train. Le bébé fut découvert et sauvé par un SDF et, étonnamment, la mère ne subit aucune répercussion.

Quelques jours plus tard, Kath eut moins de chance en défigurant une jeune fille de 16 ans avec un couteau de boucher. Un affrontement s'ensuivit au cours duquel elle retint en otage un petit garçon. Elle fut ensuite internée en hôpital psychiatrique et ressortit rapidement. Il y eut une réconciliation avec David qui fit tout son possible pour sauver leur mariage.

PERDU D'AVANCE

Cette tentative était perdue d'avance. Malgré les médicaments et la thérapie, Kath était encore plus violente. Et pourtant, en 1980, le couple eut une deuxième fille, Natasha.

Il aurait été compréhensible que David s'en aille à nouveau et pourtant, ce fut Kath qui mit fin à leur relation. Le routier rentra

John Price (deuxième en partant de la gauche) et sa première famille.

139

un jour chez lui et constata que Kath avait déménagé, emmenant Melissa, Natasha et tous leurs biens.

En 1986, elle commença à fréquenter un certain Dave Saunders et eut une fille, Sarah, avec lui l'année suivante. Kath quitta son emploi à l'abattoir, prétextant une blessure au dos. Avec l'aide de David et d'importantes indemnités, elle acheta une maison délabrée dans un quartier défavorisé et, oubliant ses problèmes de santé, se lança dans la décoration. Ses goûts étaient assez peu conventionnels : peaux de vache, cornes de bovins, chevreuil empaillé, pièges pour animaux rouillés et une faux suspendue à une corde au-dessus du canapé. Son mode de vie ne changea pas. Kath lacéra les vêtements de son petit ami, vandalisa sa voiture, le frappa avec un fer à repasser, le poignarda avec des ciseaux et l'assomma avec une poêle. Plus troublant encore, elle s'empara de l'un de ses chiots de huit mois et lui trancha la gorge sous ses yeux.

Alors que leur union était condamnée, Kath avala des somnifères et se réveilla de nouveau en hôpital psychiatrique. Pourtant, elle réussit à obtenir une ordonnance de violences caractérisées qui tint Dave éloigné de leur fille.

En mai 1990, elle avait rencontré un autre homme. John Chillington, un chauffeur de taxi, fut à son tour victime de ses brutalités. Elle lui arracha ses lunettes qu'elle pulvérisa et détruisit son dentier. Malgré tout, ils eurent un fils ensemble, Eric.

En 1994, elle le quitta pour son dernier partenaire, John Charles Price, surnommé « Pricey ». C'était un homme très apprécié. Même son ex-femme, avec qui il avait eu quatre enfants, parlait de lui en termes élogieux.

Au bout d'un peu plus d'un an avec lui, Kath abandonna sa maison à la décoration étrange et s'installa dans le joli bungalow de Pricey. Mais avant son emménagement, la relation avait déjà connu des hauts et des bas. Le couple se battait en public – une conduite typique pour Kath, mais très inhabituelle pour son compagnon.

Frustrée quand Pricey refusa de l'épouser, Kath apporta une vidéo à ses employeurs, montrant des produits qu'il aurait volés sur son lieu de travail. Même si la nourriture y figurant avait dépassé les dates de péremption et sortait sans doute d'une poubelle, Pricey fut renvoyé, ce qui conclut brutalement 17 ans de bons et loyaux services. Il quitta Kath, mais ils se réconcilièrent au bout de quelques mois.

Comme il ne savait ni lire, ni écrire, les perspectives d'emploi de Pricey étaient très limitées. Il sombra dans l'alcool pendant un temps, jusqu'à ce que, par hasard, il trouve du travail chez Bowditch and Partners Earth Moving. Un an plus tard, il fut nommé superviseur.

Il commença à raconter certains détails de sa relation malsaine à ses collègues, leur expliquant que Kath avait un passé violent et qu'il voulait qu'elle déménage de chez lui. Pricey affirma aussi que sa femme pouvait se battre à coups de poing comme un homme et qu'elle l'avait déjà poursuivi avec un couteau. Ses histoires ne concordaient pas avec la femme que ses collègues connaissaient. Elle leur avait semblé un peu étrange, mais assez plaisante au fond. Début 2000, Pricey commença à partager ses inquiétudes avec plus d'insistance.

Le 21 février, il dut quitter la maison quand Kath empoigna un couteau au cours d'une dispute. Même si ses amis l'encourageaient à partir, il se sentit obligé de rester afin de protéger les enfants. Huit jours plus tard, lors de sa pause déjeuner, Pricey alla voir un juge local. Il craignait pour sa vie et montra une blessure reçue lorsque Kath l'avait poignardé. À son retour au travail, son patron lui proposa un logement, mais Pricey refusa.

SINISTRE PRÉMONITION

Un film de famille, tourné quelques heures plus tard, montre Katherine en train de chanter des comptines en présence de ses enfants. Sa petite-fille est assise sur ses genoux. C'est un numéro qui ne lui ressemble pas, assorti d'un message bizarre : « *J'aime tous mes enfants et j'espère les revoir.* » Une fois la caméra éteinte, elle alla dîner avec sa famille dans un restaurant chinois voisin, ce qui, à nouveau, sortait de l'ordinaire. Kath dit à ses enfants : « *Je veux marquer l'occasion.* »

Âgée de 20 ans, Natasha éprouva un vague sentiment de malaise devant la conduite étrange de sa mère. Alors que Kath partait voir son compagnon, elle lui dit : « *J'espère que tu ne vas pas tuer Pricey et te suicider.* »

Kath affirma plus tard qu'elle n'avait aucun souvenir de la soirée, si ce n'est qu'elle avait regardé *Star Trek* chez Pricey.

Tout ce que l'on sait ensuite provient de preuves scientifiques recueillies sur la scène du crime. À un certain moment, Kath enfila un déshabillé noir acheté dans un magasin caritatif local. Il est très probable qu'elle le portait lorsqu'ils eurent un rapport sexuel – elle l'avait encore quand elle se mit à poignarder Pricey. L'homme blessé réussit à sortir avant d'être tiré de force à l'intérieur où les violences continuèrent. Le coroner conclut qu'il avait reçu au moins 37 coups de couteau détruisant presque tous ses organes vitaux.

On ignore quand Kath se mit à écorcher, décapiter et découper en morceaux son amant, mais des caméras la filmèrent à 2 h 30 du matin quand elle fit un retrait dans un guichet automatique.

Le lendemain, chez Bowditch and Partners, on commença à s'inquiéter pour Pricey. Il était si fiable et dévoué qu'à 7 h 45, son patron appela la police pour signaler qu'il n'était pas encore arrivé au travail.

Les forces de l'ordre se rendirent chez lui, forcèrent la porte et trouvèrent sa peau suspendue dans l'entrée. Le cadavre décapité gisait dans le salon. Sa tête était dans une grosse marmite, en train de cuire à feu doux.

La table de la salle à manger était mise, avec deux portions de pommes de terre au four, de citrouille, de courgettes et de choux, ainsi que de gros morceaux de viande prélevés sur le corps.

Des petites cartes sur la table indiquaient que les assiettes étaient destinées aux enfants de Pricey. Des messages à peine compréhensibles contenant des accusations infondées leur étaient adressés. Ayant pris une légère surdose de médicaments, Kath était allongée dans un demi-coma sur le lit qu'elle avait partagé avec Pricey.

En octobre 2001, Kath reconnut sa culpabilité. Le mois suivant, elle devint la première femme en Australie à recevoir une peine de perpétuité sans possibilité de libération conditionnelle. On ignore si elle goûta au repas préparé à partir du corps de Pricey.

ÉPILOGUE

- **Signes alarmants** : Assomma un amant avec une poêle, puis trancha la gorge d'un chiot sous ses yeux.

poitrine et devint de plus en plus

e abominable, quasi inimaginable

e de sortir un jour).

LA REVANCHE CONTRE MAMAN

Nom : Ed Kemper

Date de naissance :
18 décembre 1948

Condamnations précédentes :
Interné à l'hôpital d'Atascadero pour
avoir tiré sur ses grands-parents à
l'âge de 14 ans. Dit qu'il voulait
voir « ce que ça ferait de tuer
grand-maman »

Nombre de victimes : 10

O n dit parfois que les tueurs en série veulent se faire prendre. On cite en guise de preuve leur négligence croissante, des prises de risques et des lettres révélatrices et provocantes aux forces de l'ordre. Au final, il est difficile de tirer des conclusions. Cependant, on peut affirmer qu'Edmund Kemper, le « tueur d'étudiantes », voulait être arrêté, puisqu'il s'est tout simplement livré à la police.

C'est à Burbank, en Californie, la ville de la Walt Disney Company et de la Warner, qu'Edmund Emil Kemper III est né le 18 décembre 1948. Il était le seul garçon entre une grande et une petite sœur. Kemper reçut le nom de son père dont il était très proche. En 1957, ses parents divorcèrent et sa mère partit avec les enfants à Helena, dans le Montana. À plus de 2 000 kilomètres de son père, Kemper subit les violences morales de sa mère. Elle l'enfermait souvent à la cave, de peur qu'il n'importune ses sœurs. Enfant, il commença à torturer et tuer des animaux et à imaginer des fantasmes sexuels anormaux avec des poupées. À plus d'une reprise, sa petite sœur retrouva les siennes décapitées. L'un des jeux préférés de Kemper consistait à imaginer sa propre exécution, demandant à l'une de ses sœurs de le mener à une fausse chaise électrique.

REJETÉ

À 13 ans, il fugua et retourna en Californie. Son père, qui s'était remarié, ne fut pas ravi de le voir. Au cours de ce voyage, Kemper apprit qu'il avait un demi-frère et que le garçon l'avait remplacé dans le cœur paternel. Il fut reconduit dans le Montana où il était également indésirable. L'année suivante, on l'envoya vivre dans leur ranch de sept hectares de ses grands-parents, Maude et Edmund Kemper, à North Fork, en Californie. Malgré sa taille, il était souvent harcelé. Selon lui, sa grand-mère faisait partie de la longue liste de ses bourreaux. L'après du 27 août 1964, il se disputa avec elle et, prenant le fusil que son grand-père lui avait offert à Noël, Kemper lui tira une balle dans la tête et deux dans le dos. Ce fut un geste impulsif.

En rentrant, son grand-père fut abattu en sortant de voiture. Kemper expliqua qu'il l'avait tué pour lui épargner la découverte du cadavre de sa femme.

Ayant informé sa mère de ce qu'il venait de faire, Kemper appela la police et attendit son arrivée sous le porche de la maison. En garde à vue, on diagnostiqua qu'il souffrait de schizophrénie paranoïde et il fut interné à l'hôpital psychiatrique d'Atascadero.

Le 18 décembre 1969, pour son 21e anniversaire, malgré l'opposition de plusieurs psychologues, il fut libéré et confié à sa mère. Elle s'était installée en Californie pendant l'incarcération

Aiko Koo, l'une de ses victimes, décida de faire de l'autostop plutôt que d'attendre le bus.

de son fils et vivait désormais à Santa Cruz. Kemper intégra le centre universitaire et obtint d'excellentes notes. Il se lia d'amitié avec plusieurs membres des services de police de Santa Cruz. Il envisagea de devenir policier, un rêve qui prit fin en raison de sa trop grande taille. Mesurant à présent plus de 2 mètres et pesant 135 kilos, Kemper était imposant. Il exerça divers métiers avant de devenir manœuvre dans les services de voirie de Californie. S'il gérait mal son argent, Kemper parvint à économiser suffisamment pour quitter la maison de sa mère et emménager avec un colocataire. Il acheta aussi une moto, avec laquelle il eut deux accidents. À la suite de l'un d'eux, Kemper reçut 15 000 dollars de dédommagement. Il utilisa cette somme pour s'acheter une Ford Galaxie jaune et se mit à sillonner la côte du Pacifique en quête d'auto-stoppeuses. Selon ses estimations, il prit en voiture environ 150 femmes et jeunes filles, tout en amassant dans son coffre des objets dans un but sinistre : couteaux, menottes, sacs plastiques et couverture.

Le 7 mai 1972, il fit monter ses premières victimes, Mary Ann Pesce et Anita Luchessa, qui couvraient en autostop les 270 kilomètres entre Fresno et l'Université de Stanford. Initialement, elles se dirent qu'elles avaient de la chance, puisque Kemper promit de les conduire jusqu'à leur destination. Cependant, il sortit vite de l'autoroute et emprunta une route déserte. Il s'arrêta, tua les deux jeunes filles et reprit son chemin, les deux cadavres dans le coffre de son véhicule. Comme dans un mauvais film, Kemper faillit se faire prendre quand, sur le chemin du retour, la police l'obligea à s'arrêter et lui donna un avertissement à cause d'un phare cassé.

Une fois chez lui, Kemper s'aperçut que son colocataire était sorti. Il transporta les deux corps, les déposa sur le sol de sa chambre et se mit à les disséquer, photographiant le processus. Il avoua ensuite qu'il avait eu des rapports sexuels avec certains morceaux. Il se débarrassa des cadavres dans la montagne, enterrant Pesce dans une tombe peu profonde qu'il marqua pour la retrouver ultérieurement.

Il continua à prendre des femmes dans sa voiture, discutant souvent avec elles de l'inconnu qui assassinait des autostoppeuses. Le 14 septembre, il viola et tua Aiko Koo, une jeune fille de 15 ans qui avait décidé de faire du stop plutôt que d'attendre un bus qui ne venait pas. Il ramena également le corps chez lui pour le disséquer. Le lendemain, Kemper alla voir deux psychiatres, dans le cadre de sa libération conditionnelle. Après l'entretien, ils conclurent qu'il n'était plus dangereux. Au retour, il abandonna la dépouille de sa victime près de Boulder Creek.

ESCALADE

En janvier et février, Kemper tua trois autres femmes, dont deux qu'il avait croisées sur le campus de l'Université de Californie à Santa Cruz où sa mère travaillait. Il les démembra et les décapita chez elle.

Le 21 avril 1973, jour du Vendredi Saint, Kemper assassina sa mère à coups de piolet pendant son sommeil. L'ayant décapitée, il viola le cadavre, puis plaça la tête sur la cheminée pour l'utiliser comme cible à fléchettes. Il invita alors une amie de sa mère, Sally Hallett, qu'il étrangla avant de lui trancher la tête. Le dimanche de Pâques, il partit vers l'Est dans la voiture de celle-ci, écoutant les bulletins d'information à la radio pour voir s'ils signalaient ses crimes. Ayant conduit pendant environ 2 400 kilomètres sans avoir entendu un mot sur le massacre, Kemper s'arrêta sur le bas-côté de la route. Depuis une cabine téléphonique à Pueblo, Colorado, il appela ses vieux copains de la police de Santa Cruz et leur avoua le meurtre de sa mère, de son amie et de six autostoppeuses. Cependant, le policier qui répondit connaissait Kemper et estima qu'il lui faisait une blague de mauvais goût. Il fallut plusieurs coups de fil pour convaincre les forces de l'ordre de Santa Cruz d'effectuer une visite chez Mme Kemper.

Le 7 mai 1973, Kemper fut accusé de huit assassinats. Il tenta de se suicider deux fois avant son procès qui débuta le 23 octobre.

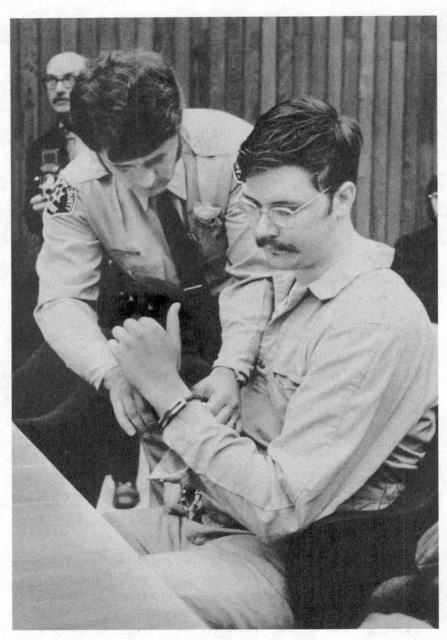

Même au tribunal, il était difficile de savoir ce que Kemper avait en tête.

Il plaida non coupable, prétextant la démence, ce qui fut contré par trois psychiatres qui le déclarèrent responsable de ses actes. Au final, il fut jugé coupable de tous les crimes.

Il demanda à être condamné à mort, mais son rêve d'enfance ne se réalisa pas. Kemper purge actuellement une peine de perpétuité à la prison d'État de Vacaville, en Californie.

ÉPILOGUE

- **Signes alarmants** : Cruauté envers les animaux dès l'enfance ; aimait aussi mettre en scène son exécution.

- **Façon d'agir** : Prenait des autostoppeuses qu'il étranglait, poignardait ou abattait, avant de violer leurs cadavres décapités.

- **Découverte capitale** : Se livra après le meurtre de sa mère – il avait mis ses cordes vocales au vide-ordures… « Cela semblait approprié, vu toutes les horreurs qu'elle avait hurlées contre moi pendant des années ».

- **Condamnation** : Perpétuité sans possibilité de libération conditionnelle.

LE CHARMEUR

Nom : Jack Unterweger

Date de naissance :
16 août 1950

Profession : Animateur télé, écrivain
et journaliste

Précédentes condamnations : Vol,
agression et une condamnation pour
meurtre

Nombre de victimes : 10 à 15

Lorsqu'il entra en prison, Jack Unterweger était un meurtrier sans éducation. À sa sortie, il était devenu un auteur célèbre. Coqueluche du tout Vienne, il fut fêté et invité à des vernissages et des soirées – mais ce qu'il aimait vraiment, c'était tuer des prostituées.

De son vrai nom Johann Unterweger, il vit le jour le 16 août 1950 à Judenburg, en Autriche. Sa mère était prostituée et il ne connut jamais son père, ni même l'identité de ce dernier. Cependant, il était très probable qu'il s'agissait d'un soldat américain. Abandonné à la naissance, il passa les sept premières années de sa vie dans une très grande pauvreté, dans la petite cabane de son grand-père alcoolique. Très tôt, Unterweger fit preuve d'un tempérament sauvage et imprévisible. À 16 ans, il agressa une femme et fut arrêté pour la première fois. Sa victime était une prostituée. D'autres crimes suivirent rapidement : il fut accusé de vol de voitures, de cambriolage et de recel. Il aurait aussi poussé une femme dans la prostitution et empoché les bénéfices.

Le 11 décembre 1974, avec une travailleuse du sexe du nom de Barbara Scholz, il cambriola le domicile d'une de ses consœurs, Margaret Schäfer. Puis Schäfer fut conduite dans les bois où Unterweger l'attacha et la battit. Il la déshabilla et exigea un rapport sexuel. Quand elle refusa, il la frappa avec un tuyau en acier et l'étrangla avec son soutien-gorge. Il fut vite arrêté. Au cours de ses aveux, Unterweger tenta de se défendre en disant qu'il s'était imaginé battre sa mère à la place de Margaret Schäfer.

DERRIÈRE LES BARREAUX

Unterweger fut condamné à la perpétuité. Ayant très peu fréquenté l'école dans l'enfance – il était illettré à son entrée en prison – il profita de son incarcération pour étudier. Ses progrès furent spectaculaires. Il apprit vite à lire et écrire et s'intéressa à la littérature. Il se mit à écrire de la poésie, des pièces et des nouvelles et fut nommé rédacteur en chef du magazine de la prison.

En 1984, son premier livre, une autobiographie intitulée *Fegefeuer – eine Reise ins Zuchthaus* (*Purgatoire : un voyage au pénitencier*) fut publié sous les louanges et devint un best-seller. Personnage public malgré son emprisonnement, Unterweger accorda des interviews et publia des essais et d'autres ouvrages. En 1988, son histoire – ou du moins une partie – fut portée à l'écran avec l'adaptation de *Fegefeuer*. Unterweger incarna alors un symbole pour ceux qui faisaient la promotion de l'amendement en prison, mais les crimes qui suivirent leur donnèrent matière à réflexion.

Le 23 mai 1990, après 15 ans passés derrière les barreaux, Unterweger bénéficia d'une libération conditionnelle. Une nouvelle vie commença pour lui, comprenant des vernissages, des lancements de livres et des soirées privées. Cultivé, séduisant et élégant, il était très apprécié dans les talk-shows et les dîners en ville. Sa carrière d'écrivain était florissante ; on le demandait en tant que journaliste et ses pièces étaient jouées dans toute l'Autriche.

Très vite, il couvrit en tant que reporter un sujet qu'il connaissait bien : le crime. La plupart de ses écrits concernaient des affaires de prostituées qui venaient d'être assassinées. Il tira pleinement profit de son passé et de sa célébrité, évoluant en toute liberté dans les rues. Dans ses écrits et à la télévision, il critiquait les autorités qui n'avaient pas encore trouvé le coupable, affirmant qu'un tueur en série s'attaquant à des prostituées sévissait en Autriche.

La première d'entre elles, Brunhilde Masser, avait été vue pour la dernière fois le 26 octobre 1990, dans les rues de Graz. Moins de six semaines plus tard, une autre prostituée, Heidemarie Hammerer, disparut à Bregenz, près de la frontière entre l'Allemagne et la Suisse. Deux randonneurs retrouvèrent son corps le soir du Nouvel An. L'enquête détermina qu'on l'avait étranglée avec une paire de bas et complètement rhabillée après sa mort. Le 5 janvier 1991, le cadavre de Masser fut découvert près de Ganz. Malgré sa décomposition, tout indiquait qu'elle avait été tuée de la même manière.

Le 7 mars, une troisième prostituée, Elfriede Schrempf, disparut à son tour. Les forces de l'ordre étaient désormais en état d'alerte. Comme leur activité est légale en Autriche, les travailleuses du sexe y courent moins de dangers que dans d'autres nations européennes. Chaque année, en moyenne, il n'y a pas plus d'un meurtre de prostituée dans le pays. Pourtant, en à peine plus de quatre mois, deux d'entre elles avaient été tuées et une autre avait disparu. Les inquiétudes s'accrurent quand la famille de Schrempf reçut deux coups de fil de menace anonymes. Même s'il figurait sur la liste rouge, c'était un numéro que Schrempf avait dans ses contacts.

Le 5 octobre, des randonneurs découvrirent sa dépouille dans les bois près de Graz. En l'espace d'un mois, quatre autres prostituées disparurent dans les rues de Vienne. Une équipe d'inspecteurs de Graz, Bregenz et Vienne détermina, en observant les indices, que les meurtres et les disparitions n'étaient pas l'œuvre d'un tueur en série, une conclusion qui déplut à Unterweger.

Il n'était pas le seul à la réfuter. August Schenner, ancien inspecteur de 70 ans, avait participé à la résolution du meurtre de Margaret Schäfer en 1974, ayant valu une peine de perpétuité à Unterweger. Il nota que Schäfer avait été étranglée, comme une autre prostituée qu'il avait toujours soupçonné l'écrivain d'avoir tuée. Et, naturellement, tous les meurtres récents avaient été commis par strangulation. Quand les cadavres de deux des disparues – étranglés – firent surface, les forces de l'ordre réalisèrent qu'elles avaient affaire à un tueur en série. Et qu'il s'agissait vraisemblablement de Jack Unterweger.

Pendant trois jours, l'auteur célèbre fut placé sous surveillance. Le quatrième jour, Unterweger partit pour Los Angeles, où il devait écrire un article sur la criminalité dans la ville pour un magazine autrichien. En son absence, la police fédérale du pays traqua les mouvements du suspect depuis sa sortie de prison. Elle découvrit qu'il se trouvait à Graz au moment de la disparition de Brunhilde Masser et Elfriede Schrempf, à Bregenz quand Heidemarie Hammerer fut assassinée et à Vienne dans les quatre dernières affaires. Les enquêteurs apprirent aussi qu'Unterweger s'était rendu à Prague en septembre 1990. Un appel aux autorités tchèques révéla l'existence d'une affaire non résolue – le meurtre d'une jeune femme, Blanka Bockova – datant de cette période. Quand on la retrouva sur les rives de la Vitava, elle portait une paire de bas gris serrés autour du cou.

CONNAISSANCES PARTICULIÈRES

À son retour de Los Angeles, Unterweger fut interrogé par des inspecteurs du bureau des enquêtes criminelles. L'un d'eux connaissait déjà le suspect qui l'avait questionné en tant que journaliste pour l'un de ses articles sur les meurtres. Unterweger nia tout contact avec les prostituées, disant que ce qu'il savait de leur sort était limité à ce qu'il avait découvert dans le cadre de son

Unterweger aima devenir une célébrité.

reportage. Il fut relâché, faute de preuves. Peu après, il reprit ses attaques écrites, dénonçant une mauvaise gestion de l'enquête.

En quête d'indices, la police apprit qu'Unterweger avait revendu la voiture acquise à sa sortie de prison. Avec la permission du nouveau propriétaire, les inspecteurs passèrent le véhicule au peigne fin et trouvèrent un fragment de cheveu, dont l'ADN révéla qu'il appartenait à Blanka Bockova.

Grâce à cet échantillon, les enquêteurs pouvaient désormais obtenir un mandat pour effectuer une perquisition dans l'appartement d'Unterweger.

En appelant la police de Los Angeles, ils apprirent que trois prostituées avaient été étranglées pendant le séjour d'Unterweger.

Quand la police autrichienne décida d'arrêter Unterweger, ce dernier avait quitté la ville, apparemment pour prendre des vacances avec Bianca Mrak, sa petite amie de 18 ans. En réalité, il s'était enfui. Unterweger parvint à entrer sur le territoire américain en mentant sur ses antécédents judiciaires. Il s'installa avec Mrak à Miami, d'où il lança une campagne contre les forces de l'ordre autrichiennes. Il accusa la police de fabriquer des preuves pour lui faire porter le chapeau. Il misa sur ses contacts médiatiques afin que sa version des faits soit publiée.

Le 27 février 1992, Unterweger fut appréhendé par des policiers fédéraux américains alors qu'il venait toucher un transfert d'argent. Ils l'arrêtèrent car, en mentant sur sa condamnation de 1974, il était entré illégalement dans le pays. Il contesta l'expulsion, jusqu'à ce qu'il apprenne qu'en Californie, l'état où il était soupçonné du meurtre de trois prostituées, la peine de mort était encore en vigueur.

Le 28 mai, il fut renvoyé en Autriche. Il se retrouva sous le coup d'une loi lui permettant d'être accusé des crimes dont il était soupçonné à l'intérieur et à l'extérieur des frontières du pays – soit onze au total. Dans l'attente de son procès, Unterweger donna des interviews et écrivit des lettres aux médias où il proclama son innocence. Il était convaincu d'avoir l'opinion publique de son côté. Cependant, elle avait changé de bord depuis longtemps. Même ses anciens amis dans la presse doutaient de son innocence.

Unterweger fut jugé en juin 1994, persuadé que sa popularité et son charme séduiraient le jury.

Le 29 juin 1994, Unterweger s'aperçut que sa chance avait tourné quand on le jugea coupable de tous les meurtres à deux exceptions. Il fut condamné à la prison à perpétuité sans libération conditionnelle. Le soir même, il utilisa le cordon de son survêtement de prison pour se pendre. Le nœud était le même que ceux qu'il avait utilisés sur ses victimes.

ÉPILOGUE

- **Signes alarmants** : Son charme pouvait laisser place à des explosions de colère soudaines ; tendances misogynes dès l'enfance.

- **Façon d'agir** : Plusieurs prostituées tuées en Autriche et dans les pays voisins avec des méthodes similaires.

- **Découverte capitale** : Un ancien enquêteur remarqua que les nouveaux crimes concordaient avec le modus operandi de Jack Unterweger.

- **Condamnation** : Perpétuité sans libération conditionnelle (il se pendit moins de 24 heures après le verdict).

LE GIBIER DE POTENCE

Nom : Carl Panzram

Date de naissance :
28 juin 1891

Profession : Voleur professionnel et
récidiviste de carrière

Condamnations : Envoyé en maison
de redressement par sa famille à 11
ans ; alla en prison, y compris à Sing
Sing, dans neuf états

Nombre de victimes : 22

Au moment de son exécution, quand on lui demanda de prononcer ses derniers mots, le tueur en série Carl Panzram se serait tourné vers son bourreau et lui aurait dit : *« Dépêche-toi, espèce de salaud ! Pendant que tu tournes en rond, j'aurais eu le temps de tuer dix personnes. »* Ce n'était probablement pas exagéré.

Tout ce que l'on sait de Panzram provient de son autobiographie, publiée 40 ans après sa mort. Le récit est bien écrit et clair, pas vraiment ce que l'on aurait pu attendre d'un homme ayant reçu une éducation limitée. Le futur meurtrier vit le jour chez un couple d'immigrés prussiens le 28 juin 1891, dans une ferme du Minnesota près de la frontière canadienne. Les sept enfants grandirent dans la pauvreté, une situation qui empira quand le père quitta le foyer. Carl Panzram n'avait alors que 7 ans. Un an plus tard, il fut arrêté pour ébriété et troubles sur la voie publique, un délit d'adulte. Il enchaîna par des cambriolages et, à l'âge de 11 ans, fut envoyé à la Minnesota State Training School, une maison de redressement. Panzram affirma ensuite qu'il y fut battu et subit des agressions sexuelles, ce qui est sans doute vrai. En revanche, on ignore s'il commit vraiment son premier meurtre là-bas, tuant un garçon de 12 ans. En juillet 1905, il brûla l'un des bâtiments de l'école. Il ne fut pas suspecté du crime et sortit quelques mois plus tard.

LE CRIME EN TÊTE

Inscrit dans une autre école, il entra vite en conflit avec l'un des professeurs. Leur désaccord alla si loin que Panzram arriva avec une arme à feu en classe, avec l'intention de le tuer devant les élèves. Son plan échoua quand son revolver tomba pendant une bagarre. Il quitta l'école et la ferme familiale et se mit à prendre des trains au hasard. Le sentiment de liberté éprouvé par l'adolescent de 14 ans menant cette vie nomade prit fin quand il fut violé par quatre hommes. Jusqu'à sa mort, Panzram enragea à la pensée de la douleur et de l'humiliation subies lors de l'incident. Dans un désir tordu de vengeance, il sodomisa de force plus d'un millier d'hommes et de jeunes garçons.

Quelques mois après sa sortie de la Minnesota State Training School, Panzram retourna en maison de redressement pour avoir commis un cambriolage.

Il s'enfuit vite avec un codétenu du nom de Jimmie Benson. Ils restèrent ensemble pendant un moment, sillonnant le Midwest, semant le chaos, cambriolant des maisons et des églises avant d'y mettre le feu.

Quand ils se séparèrent, Panzram intégra l'armée, un choix étrange et inadéquat. Pendant son bref passage, il fut accusé d'insubordination, emprisonné à plusieurs reprises pour des délits mineurs et, enfin, jugé coupable de trois vols. Panzram fut exclu pour conduite déshonorante et le 20 avril 1908, condamné à trois ans de travaux forcés à Fort Leavenworth au Kansas.

En détention, le criminel de 16 ans fut battu et enchaîné à un boulet de 20 kilos qu'il devait porter. Il rêvait de s'évader, ce qui s'avéra impossible. Il ne sortit qu'après avoir purgé sa peine de trois ans. Panzram reprit sa vie d'errance, traversant le Kansas, le Texas, la Californie, l'Oregon, l'état de Washington, l'Utah et l'Idaho. Il enchaîna les vols, les incendies volontaires, les braquages et les viols. Dans son autobiographie, Panzram dit qu'il dépensait sa monnaie en balles et pour s'amuser, visait les fenêtres et le bétail des fermiers.

Il raconta aussi une histoire impliquant un policier des chemins de fer qu'il viola en le menaçant d'un revolver. Il obligea deux clochards à assister à la scène et à la recréer.

Arrêté à de nombreuses reprises, il servit plusieurs peines sous différentes identités. Après sa deuxième incarcération et son évasion de la prison d'État d'Oregon, Panzram partit sur la Côte Est. Se retrouvant à New Haven, dans le Connecticut pendant l'été 1920, Panzram cambriola la maison de l'ancien président américain William H. Taft, l'homme qui avait signé le document le condamnant à trois ans d'emprisonnement à Fort Leavenworth.

Son butin excéda ceux de ses cambriolages précédents. L'ayant fourgué dans le Lower East Side à Manhattan, Panzram s'offrit un yacht. Il navigua sur l'East River, s'introduisant dans les bateaux des gens riches amarrés sur sa route. Il embaucha des marins au chômage comme matelots. Dans la soirée, il les droguait, les sodomisait et les abattait d'une balle dans la tête avec un pistolet volé au domicile de Taft, puis jetait les corps par-dessus bord. Au bout de trois semaines, cette routine prit fin quand son yacht se retrouva pris dans une tempête et coula. Il nagea jusqu'à la rive avec deux marins qu'il ne revit jamais.

CŒUR DES TÉNÈBRES

Après six mois de prison pour vol et port d'une arme chargée, Panzram embarqua clandestinement sur un bateau partant pour l'Angola. Employé par la Sinclair Oil Company, il viola et assassina un jeune garçon. Il engagea ensuite six Africains pour lui servir de guides à la chasse aux crocodiles. Alors qu'ils descendaient la rivière, il abattit les hommes et les donna à manger aux animaux. Ayant vogué sur le fleuve Congo et volé les fermiers de la côte, il retraversa l'Atlantique. À son retour aux États-Unis, Panzram reprit ses mauvaises habitudes, enchaînant vols, braquages et viols. Ces crimes « routiniers » furent ponctués par le meurtre de trois garçons, tous violés avant de mourir.

Le 26 août 1923, Panzram s'introduisit dans la gare de Larchmont, dans l'état de New York, et fouillait les bagages à la consigne quand il se retrouva face à un policier. Il fut condamné à cinq ans de détention, purgés en grande partie à la Clinton Prison dans le nord de l'état. Fidèle à sa personnalité, il ne fit aucun effort pour devenir un prisonnier modèle. Pendant les premiers mois, il tenta de lancer une bombe incendiaire sur les ateliers, assomma l'un des gardiens et, bien sûr, chercha à s'évader. Son dernier méfait eut des conséquences qu'il subit le restant de sa vie.

Panzram tenta d'escalader un mur de la prison et fit une chute de 10 mètres, s'écrasant sur des marches en ciment. Bien que gravement blessé aux chevilles, aux jambes et à la colonne vertébrale, il ne reçut aucun soin pendant 14 mois. Cette longue souffrance l'endurcit et intensifia sa haine. Il se mit alors à échafauder des plans pour tuer sur une grande échelle. Il pensait faire exploser un tunnel de chemin de fer, avant de répandre un gaz empoisonné dans la zone de l'accident.

VAGUE DE CRIMINALITÉ

Quand il fut enfin libéré en juillet 1928, Panzram était handicapé. Cependant, ses facultés diminuées ne l'empêchèrent pas de

Des prisonniers au pénitencier de Fort Leavenworth où Panzram fut détenu.

reprendre son existence criminelle. Au cours de ses deux premières semaines de liberté, il se livra à un cambriolage par jour environ. Plus sérieusement, le 26 juillet 1928, il étrangla un homme au cours d'un de ses vols à Philadelphie. En août, Panzram retourna en garde à vue. Réalisant peut-être qu'il ne sortirait plus jamais de prison, il avoua 22 meurtres, dont ceux de deux des trois garçons pendant l'été 1923.

Le 12 novembre, il fut jugé pour vol avec effraction. Se défendant lui-même, il utilisa le tribunal comme une scène depuis laquelle il effraya le jury et menaça les témoins. À la fin de la journée, il fut condamné à 25 ans de prison.

Le 1er février 1929, il arriva au pénitencier de Leavenworth, au Kansas. C'était une zone du pays qu'il connaissait bien : 20 ans plus tôt, il avait purgé une peine dans une prison militaire voisine. Devant son gardien le premier jour, Panzram lança : « *Je tuerai toute personne qui m'ennuie.* »

Fidèle à sa parole, le 20 juin 1929, Panzram empoigna une barre de fer et l'abattit avec force sur le crâne de Robert Warnke, son superviseur dans la blanchisserie de la prison. Quand d'autres prisonniers tentèrent de s'échapper, Panzram se mit à les poursuivre dans la pièce, leur brisant les os au passage.

Il comparut au tribunal pour le meurtre de Warnke, le 14 avril 1930. Une fois encore, il se chargea de sa défense, mettant le procureur au défi de le juger coupable. Ce n'était pas un défi trop difficile. Quand le juge le condamna à la pendaison, le criminel le menaça.

Le 5 septembre 1930, Panzram fut pendu. Plusieurs organisations avaient tenté d'empêcher l'exécution, au grand dam du condamné. Neuf mois avant sa mort, il écrivit à l'une d'elles, la Société pour l'Abolition de la Peine Capitale : « *Les seuls remerciements que vous et ceux de votre espèce auront de ma part pour vos efforts en mon nom est que j'aimerais que vous ayez un cou avec mes mains autour.* »

ÉPILOGUE

- **Signes alarmants** : Adolescent, provoqua un incendie volontaire et rêva de commettre un crime de masse.

- **Façon d'agir** : Piégé dans un cercle vicieux de violence et d'emprisonnement ; adorait voir brûler des églises.

- **Découverte capitale** : Capturé pendant un cambriolage.

- **Derniers mots** : (à son bourreau) « Dépêche-toi, espèce de salaud ! Pendant que tu tournes en rond, j'aurais eu le temps de tuer dix personnes. »

- **Condamnation** : Peine de mort.

« DES ACTES ATROCES MAIS NÉCESSAIRES »

Nom : Anders Behring Breivik

Date de naissance :
13 février 1979

Pseudonymes : Andrew Berwick,
Sigurd Jorsalfare, Andersnordic

Catégorie : Tueur de masse

Nombre de victimes :
77 tués, 153 blessés

D ans l'après-midi du 22 juillet 2011, un étrange compendium intitulé *2083 – Une Déclaration d'indépendance européenne* fut envoyé par e-mail à plus d'un millier de personnes. Son auteur était un parfait inconnu. Pourtant, à la fin de la journée, il serait célèbre, non pas pour ses écrits, mais en tant que pire tueur de masse de l'Histoire mondiale.

Né le 13 février 1979 à Oslo, Anders Behring Breivik passa la première année de sa vie à Londres où son père, économiste, travaillait comme diplomate à l'ambassade de Norvège. À l'âge d'un an, ses parents divorcèrent, entamant une procédure de garde que son père perdit. Encore bébé, Breivik retourna à Oslo avec

L'île d'Utøya était la destination finale de Breivik.

sa mère infirmière. Même si elle se remaria vite à un officier de l'armée norvégienne, Breivik critiqua plus tard ce qu'il percevait comme un manque de présence masculine à la maison. Dans ses écrits, il décria « *l'éducation matriarcale* » de sa mère, ajoutant qu' « *elle manquait complètement de discipline et a contribué à me féminiser jusqu'à un certain degré.* »

Selon certains témoignages, Breivik était un garçon intelligent et aimant, prompt à défendre les plus faibles. Cependant, sa conduite changea radicalement à l'adolescence. Il affirma que pendant deux ans, il se lança dans une « guerre » personnelle contre la compagnie de transport public d'Oslo, causant £700 000 de déprédations. Il passait ses soirées à sillonner la ville avec des amis pour commettre des actes de vandalisme. À 16 ans, Breivik fut arrêté alors qu'il faisait des graffitis sur le mur d'un bâtiment, un délit qui mit fin à sa relation avec son père. Ils n'ont plus eu de contacts depuis.

Bien que beau-fils d'un officier, Breivik fut déclaré inapte au service obligatoire en Norvège. La raison de ce jugement surprenant n'a pas encore été dévoilée. Breivik raconta à ses amis qu'on l'avait exempté pour s'occuper de sa mère malade. Cependant, il est possible que ce soit plutôt lié à son usage de stéroïdes anabolisants, qu'il prenait depuis l'adolescence afin de développer sa musculature. Breivik a toujours été obsédé par son apparence.

PAS DE PETITE AMIE

En 2000, à l'âge de 21 ans, il partit aux États-Unis pour des opérations de chirurgie esthétique au front, au nez et au menton. N'étant pas marié à 32 ans, Breivik se considérait comme un célibataire très prisé et se vantait fréquemment de ses conquêtes, même si aucun de ses amis ne lui a connu une petite amie.

« *Quand il s'agit de filles*, écrivit Breivik dans son journal, *je suis tenté – surtout ces jours-ci, où je suis en grande forme après l'entraînement. Mais je préfère éviter les liaisons qui risquent de compliquer mes projets et mettre en danger toute l'opération.* »

L'opération mentionnée faisait partie d'un plan de neuf ans qui culmina ce jour terrible de juillet 2011. Selon Breivik, le travail commença en 2002 avec la fondation d'une société informatique qui devait lui permettre de lever des fonds, mais elle fit faillite, l'obligeant à revenir chez sa mère. Ce revers humiliant semble avoir provoqué une phase d'inactivité relative. En 2009, cependant, Breivik se remit aux affaires. Il forma une compagnie, Breivik Geofarm, qui lui servit de couverture pour acheter, sans éveiller les soupçons, de grandes quantités d'engrais et d'autres produits chimiques servant à fabriquer des bombes. L'année suivante, ayant échoué à acquérir clandestinement des armes à Prague, il suivit la filière légale pour acheter deux semi-automatiques, un pistolet Glock et une carabine Ruger Mini-14.

Breivik tua avec ces armes, mais ses premières victimes le 22 juillet périrent à cause d'une bombe déposée dans son Volkswagen Crafter. Cet après-midi-là, il conduisit le véhicule dans le centre d'Oslo, le garant devant les bureaux du Premier ministre, du ministre de la Justice et de la police et de plusieurs autres hauts responsables gouvernementaux. À 15 h 22, la bombe explosa, brisant les vitres et déclenchant un incendie au rez-de-chaussée du bâtiment. Si le Premier ministre Jens Stoltenberg, censé être la cible de l'attaque, survécut sans une égratignure, la détonation tua huit personnes et en blessa gravement onze.

L'attentat aurait pu être beaucoup plus meurtrier. Malgré ses années de planification, Breivik n'avait bizarrement pas pris en compte le fait que juillet est le mois où les Norvégiens partent en vacances. En outre, il avait lancé son attaque un vendredi après-midi, quand la plupart des fonctionnaires du gouvernement sont déjà en week-end.

Pendant le chaos dans le centre d'Oslo, Breivik enfila un faux uniforme de policier, parcourut environ 40 kilomètres jusqu'aux rives du lac Tyrifjorden et prit un ferry jusqu'à l'île d'Utøya. Sa destination était un camp d'été organisé tous les ans par les jeunesses du Parti travailliste norvégien. Lorsqu'il arriva – à 16 h 45, une heure et 23 minutes après l'explosion à Oslo – les encadrants et les 600

Photo prise d'un hélicoptère montrant Breivik à côté de plusieurs cadavres.

adolescents environ avaient été informés de la tragédie. Breivik se présenta comme un policier venu s'assurer que l'île était sécurisée. Il demanda aux gens de se rassembler afin de pouvoir leur parler puis ouvrit le feu. Il tira au hasard, voulant apparemment tuer le plus de monde possible. Ses balles touchèrent des adolescents alors qu'ils se jetaient dans le lac, espérant s'enfuir à la nage.

MASSACRE AVEUGLE

Trente-deux minutes après le début de la fusillade, la police à terre apprit qu'il se passait quelque chose sur l'île d'Utøya. Cette réaction tardive fait l'objet d'une enquête. Les policiers attendirent l'arrivée d'Oslo des Beredskapstroppen, une unité spécialisée dans le contre-terrorisme, avant d'effectuer la traversée. Le bateau qu'ils empruntèrent était surchargé au point de manquer de couler avant d'atteindre l'île. Mais Breivik avait déjà appelé pour se rendre, avant de changer d'avis. La fusillade reprit jusqu'à 18 h 26 – une heure et 24 minutes après avoir commencé – et le tueur passa un

Breivik revisite la scène de ses crimes lors d'une reconstitution avec la police.

deuxième coup de fil. Il fut appréhendé par les Beredskapstroppen huit minutes plus tard.

Breivik avait tué 69 personnes sur l'île d'Utøya et les eaux qui l'entouraient. La plupart des survivants avaient nagé dans des zones seulement accessibles par le lac, tandis que d'autres se cachèrent dans une école où le terroriste décida de ne pas entrer. Certains firent semblant d'être morts après avoir été touchés deux fois. D'autres, encore, furent sauvés par des vacanciers qui prirent leurs bateaux au risque de se faire tirer dessus depuis la rive.

Les deux attaques de Breivik coûtèrent la vie à 77 personnes et 153 furent blessées. Les victimes étaient âgées de 14 à 61 ans, avec une moyenne de seulement 18 ans. Il tua 55 adolescents.

Anders Breivik a reconnu qu'il avait commis l'attentat à la bombe à Oslo et la fusillade d'Utøya, mais nié toute culpabilité. Selon lui, les deux événements impliquaient *« des actes atroces mais nécessaires »*. Ces mots furent rapportés par son avocat ; Breivik n'a pas été encore jugé. Ses motivations se trouvent dans *2083 – Une Déclaration d'indépendance européenne*, le document de 1513 pages qu'il diffusa 90 minutes avant de déclencher sa bombe. Dans ses écrits, en grande partie plagiés, Breivik s'élève contre le féminisme et réclame un retour au patriarcat qui lui manqua pendant son enfance. Il se répand aussi contre le multiculturalisme et ce qu'il perçoit comme une ouverture à l'islamisation de l'Europe. Se décrivant comme un chevalier, Breivik fait appel aux Européens blancs pour partir en guerre contre les musulmans et les marxistes. Son objectif final, comme l'indique le titre du document, était la déportation d'Europe de tous les disciples de l'Islam d'ici 2083.

« La majorité des gens que je connais soutiennent mon point de vue, écrit-il, *ils sont juste apathiques. Ils savent qu'il y aura une confrontation un jour, mais ils s'en moquent parce qu'elle aura vraisemblablement lieu au cours des deux prochaines décennies. »*

Trois jours après les attaques, Breivik comparut au tribunal de première instance d'Oslo. Accusé de terrorisme, il plaida non coupable, ajoutant qu'il ne reconnaissait pas le système qui allait le juger. La lecture de l'acte d'accusation n'a pas été filmée, de crainte qu'il n'utilise ce biais pour communiquer avec ses compatriotes. Pour l'heure, Breivik est à l'isolement. On ignore quand son procès se déroulera.

ÉPILOGUE

- **Préparatifs** : Achats d'armes, de produits chimiques et d'engrais.

- **Signes alarmants** : Vandalisme commis à l'adolescence ; manifeste publié sur internet avant l'attentat.

- **Conduite au tribunal** : Provocateur.

- **Défense** : Non coupable.

- **Déclaration d'une victime** : « Si un homme peut faire preuve d'autant de haine, pensez à tout l'amour que nous pouvons exprimer en nous unissant. »

L'HOMME DE L'ARMAGEDDON

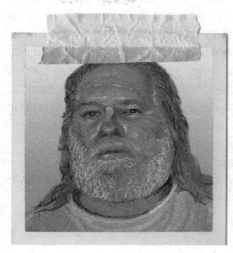

Nom : Michael Ryan

Date de naissance : 3 aout 1948

Description : Activiste d'extrême droite et gourou de secte

Précédentes condamnations :
Des policiers de trois états firent une descente dans sa ferme et découvrirent des armes volées et 150 000 cartouches

Nombre de victimes : 2

Michael Ryan avait toujours aimé partager ses fantasmes violents. En soirée, il racontait souvent qu'il était homme de main pour la mafia ou agent de la CIA. Le camionneur obèse n'était ni l'un, ni l'autre, mais rêvait de ce genre de vie. Ryan avait envie de faire exploser des immeubles ou de devenir tueur à gage, mais au final, il ne tua personne. En revanche, il chargea d'autres personnes de le faire à sa place.

Les recruteurs de la CIA n'auraient rien trouvé de très séduisant dans le passé de Michael Ryan. Il n'avait pas fini ses études, avait un tempérament violent, aimait se battre et fumait régulièrement de la marijuana. En prime, il buvait aussi beaucoup, ce qui ne l'empêcha pas de devenir conducteur de camion.

Sa femme, Ruth, était l'une des victimes de sa violence. Ils se marièrent en 1968, quelques mois après le 20e anniversaire de Ryan. Ruth était petite et menue et ne faisait pas le poids face à son mari qui mesurait 1,86 mètre et pesait 100 kilos. Dennis, leur seul enfant, recevait aussi les coups de pieds et de poings de Ryan.

Puis, un soir de mai 1982, Ryan découvrit Dieu.

Cette rencontre capitale eut lieu pendant un sermon du révérend James Wickstrom à Hiawatha, Kansas. Ses paroles n'avaient rien à voir avec ce que Ryan avait entendu chez les baptistes quand il était enfant. Wickstrom expliqua à sa congrégation que les Anglo-Saxons étaient les véritables Israélites, que les Juifs contrôlaient les banques et que le jour du Jugement était à l'horizon. Invoquant l'ancien nom de Dieu, il déclara : « *Yahweh est un dieu guerrier ! Il n'est pas venu en ami, mais pour nous apporter une épée.* »

« *Souvenez-vous*, dit le pasteur à la foule, *Yahweh dit qu'on peut tuer, mais qu'il ne faut pas commettre de meurtre. Vous devez tuer l'ennemi de Yahweh, c'est obligatoire !* »

ENDOCTRINEMENT

Ryan n'entendit pas parler que de religion ce soir-là. Wickstrom était l'un des chefs du Posse Comitatus, un groupe dédié au « *retour des Anglo-Saxons chrétiens et blancs aux commandes de l'Amérique* ». Ils rejetaient l'Etat et le gouvernement fédéral, estimant que la gouvernance ne devait pas s'exercer à un niveau supérieur à celui du comté. Ces croyances étaient liées à l'interprétation de la Bible selon Wickstrom.

Après le sermon, Ryan rencontra Wickstrom pour la première fois. L'échange fut bref, mais lui fit forte impression. « *Vous êtes un vrai Israélite !* » s'exclama le prédicateur. Six mois s'écoulèrent avant la rencontre suivante. Cette fois, le lieu – une chambre de motel – fut bien plus intimiste. C'est là que Wickstrom affirma à

Ryan qu'il possédait la capacité – ou le « pouvoir » – de recevoir le conseil de Dieu sur les questions quotidiennes, même les plus banales en apparence.

Sur le trajet du retour, Ryan était comme un possédé.

« C'est l'une des choses les plus importantes de ma vie, dit-il à son beau-frère, Steve Patterson. *Je commence à comprendre pourquoi je dois mener cette vie. »*

Au cours des mois suivants, Ryan se plongea dans les enseignements de Wickstrom. Il écouta des cassettes de ses sermons et lut ses opuscules. Il assista également à des réunions organisées par les membres du Posse Comitatus, mais fut déçu. Il semblait que les familles de fermiers qui les accueillaient chez eux avaient plus envie de parler impôts, affaires agricoles et politique que déclarer que Yahweh était un dieu guerrier. Ryan se focalisa sur l'Armageddon, la dernière bataille de l'humanité. Avec force conviction, il affirma que l'événement se produirait au Kansas.

C'en était un peu trop, même pour les disciples du révérend Wickstrom. Les gens se lassèrent des vantardises permanentes de Ryan. Il racontait sans cesse qu'il avait perdu deux orteils en étant béret vert au Vietnam, alors qu'en réalité, il n'avait jamais quitté les États-Unis en 34 ans. Ryan avait effectivement tenté d'entrer dans l'armée, mais n'avait pas pu pour raison médicale. Quant aux deux orteils manquants, c'était le résultat d'un accident : Ryan avait déchargé un fusil à l'arrière du camion de son grand-père.

Mais certains étaient captivés par les mensonges de Ryan sur sa carrière dans les bérets verts. Jimmy Haverkamp, un éleveur porcin, en faisait partie. Il avait renoncé au catholicisme pour suivre le révérend Wickstrom et devint le premier disciple de Ryan. L'éleveur fut bientôt rejoint par d'autres convertis, dont Rick Stice un fermier récemment veuf. Très endetté et menacé de faillite, Stice était attiré par la rhétorique antigouvernementale du Posse Comitatus et impressionné par le fait que Ryan était très proche de Wickstrom. Les trois hommes rendirent même visite au prédicateur dans sa modeste demeure, après quoi Michael Ryan leur dit que son prénom n'était pas un accident : il était l'incarnation de l'archange Michael (ou Michel – NDT), le commandant de l'armée de Dieu.

Ryan et ses disciples se préparèrent au conflit imminent en braquant des banques. Au fil des mois, Ryan prit ses distances avec Wickstrom avant de couper les ponts avec le Posse Comitatus. Son fondateur consacrait trop de temps à la politique et pas assez à Yahweh. Début 1984, Ryan avait plus d'une douzaine d'adeptes, dont la sœur d'Haverkamp, Cheryl, qu'il avait prise comme seconde épouse. Le groupe s'installa dans la ferme de 32 hectares de Stice, aux abords du petit village isolé de Rulo, dans le sud-est du Nebraska. Là, les hommes se préparèrent à la prochaine bataille entre le bien et le mal.

Ryan organisa des exercices de type militaire et accumula les armes, ce qui déplut aux fermiers des alentours. Ils se plaignirent auprès de la police, en vain. En apparence, Ryan et ses disciples n'étaient pas hors la loi. L'éleveur porcin avait hésité avant de laisser Ryan utiliser ses terres, mais avait fini par accepter. Il commençait à regretter sa décision. La situation était d'autant plus tendue que Luke, le plus jeune fils de Stice, méprisait Ryan. Ryan riposta en déclarant que le garçon de 5 ans était « de Satan ».

Les choses empirèrent pour Stice. Quelques mois plus tôt, Ryan avait béni l'union de l'éleveur et de sa nouvelle épouse, Lisa, mais il essayait à présent de les séparer. À la fin de l'année 1984, Ryan emmena Lisa à Kansas City où il lui dit que Yahweh avait décrété qu'elle devait quitter son mari et devenir l'une de ses femmes. Peu importe si elle était enceinte : l'enfant à naître n'était pas de Stice, mais le résultat d'une Immaculée Conception. Convaincue que Yahweh avait déterminé son rôle, Lisa ne manifesta pas de résistance.

Peu après, Ryan annonça que Yahweh lui avait donné des esclaves, en l'occurrence Stice et son fils Luke. Il y en eut vite un troisième, un ancien quincaillier du nom de James Thimm. Quelques jours plus tôt, ce disciple de 26 ans avait osé douter des pratiques de son leader. En entendant les paroles hésitantes de Thimm, Ryan pâlit.

Ryan se prépara à la bataille imminente du bien contre le mal avec des manœuvres et des exercices militaires.

« *Si tu racontes ce genre de choses, tu n'as qu'à te casser !* *Yahweh ne veut pas voir les hommes de Satan sur cette ferme, tu es* *un prosélyte ! Il n'y a qu'une place pour toi... En Enfer. Tu ferais* *mieux de penser à partir !* »

Ce fut le meilleur conseil que Ryan donna au jeune homme, mais il ne l'écouta pas. Il était désormais trop tard pour lui.

Luke fut la première victime de Ryan. Il le battit, le déshabilla et l'obligea à se rouler dans la neige en plein mois de février. Puis il lui fit mettre un revolver dans sa bouche et presser la détente. Il n'était pas chargé. Ryan lui tira dans le bras, affirmant que Yahweh avait appuyé sur la détente. Stice s'enfuit de la ferme, terrifié. Quand il revint quatre jours plus tard, il fut torturé et enchaîné. Et malgré ses efforts, il ne parvint pas à sauver son fils.

Le garçon était enfermé dans un camping-car où Ryan lui infligeait des tortures quotidiennes. Outre les coups et le fouet quotidiens, le chef religieux lui crachait au visage et lui faisait avaler des cendres de cigarette. Il mourut lorsque Ryan le jeta contre une étagère.

« *Yahweh ne veut pas que nous conduisions Luke à l'hôpital,* » annonça Ryan.

Le petit garçon mourut au cours de la nuit.

BALLE EN PLEIN VISAGE

James Thimm, confiné dans un autre camping-car, reçut une balle en plein visage par Dennis, le fils de Ryan. Il dépérissait, mais fut obligé d'aider Stice à creuser la tombe de Luke.

Les jours suivants, Thimm fut battu, fouetté et sodomisé avec le manche d'une pelle. Tout au long de son supplice, il demanda le pardon de Yahweh. Sa vie s'acheva dans la porcherie devenue son domicile. Les mains attachées par du fil de fer à une poutre, Thimm fut fouetté par les disciples de Ryan sous les yeux de leur chef. Une fois détaché, Ryan prit un pistolet et lui tira dans les doigts.

Après une pause déjeuner, Ryan ordonna à ses hommes de reprendre les tortures.

« *Yahweh veut que je vous montre comment on écorchait les gens au Vietnam,* » déclara-t-il.

Au moyen de lames de rasoir et d'une pince, Ryan se mit à enlever la peau du corps de Thimm en prenant soin de montrer chaque lambeau sanglant à sa victime. Son fils, Dennis, l'assista avec enthousiasme. Ils brisèrent ensuite les jambes du jeune homme. Puis Ryan donna des coups de pieds dans la tête de son esclave avant de lui sauter sur le torse. Selon lui, Yahweh voulait que James Thimm meure avant le dîner. L'horaire fut respecté sans problème.

Le 18 août, les forces de l'ordre trouvèrent la tombe contenant les cadavres de James Thimm et Luke Stice. Ryan, son fils Dennis et Timothy Haverkamp, le frère de James furent aussitôt arrêtés. Jugés coupables de meurtre, Dennis Ryan et Timothy Haverkamp furent condamnés à la perpétuité.

Un jury condamna Ryan pour meurtre le 10 avril 1986. Alors qu'il attendait sa peine, il fut accusé de la mort de Luke Stice. Là aussi, sa culpabilité fut reconnue. Condamné à périr sur la chaise électrique, Ryan a passé près d'un quart de siècle dans le couloir de la mort.

ÉPILOGUE

- **Signes alarmants** : Les membres de sa secte accumulèrent des armes et des vitamines et se définirent comme de « Véritables Israélites ».

- **Façon d'agir** : Ryan inscrivit « 666 » sur la tête d'un garçon de 5 ans qu'il qualifia de « fils de Satan » avant de le tuer ; une autre victime fut enchaînée dans une porcherie et forcée d'avoir des rapports sexuels avec une chèvre.

- **Défense** : « Je pensais que c'était ce qu'il fallait faire ».

- **Condamnation** : Peine de mort.

L'AFFAIRE DES MILK-SHAKES EMPOISONNÉS

Nom : Nancy Kissel

Profession : Femme au foyer et bénévole

Enfance : Élevée dans la classe moyenne aisée

Description : Extravertie et exigeante

Précédentes condamnations : Aucune

Nombre de victimes : 1

Nancy et Robert Kissel emménagèrent ensemble peu après leur rencontre en 1987. Deux ans plus tard, ils se marièrent, avec, comme demoiselle d'honneur, la militante contre le SIDA Alison Gertz, disparue depuis. À l'époque, Robert étudiait pour décrocher une maîtrise en finance à l'Université de New York. Nancy avait déjà deux diplômes, mais elle cumula trois petits boulots pour subvenir à leurs besoins.

À la fin de ses études en 1991, Robert s'engagea dans une voie qui aurait pu lui valoir un salaire supérieur à 3 000 000 de dollars annuels en quelques années. Il amorça son ascension fulgurante à New York dans la banque d'investissement Lazard Frères avant de passer chez Goldman Sachs. En 1997, il fut muté à Hong Kong. Les Kissel devinrent des membres éminents de la communauté des expatriés américains. C'était une vie enviable, du moins vue de l'extérieur. Les Kissel et leurs deux enfants s'installèrent dans un appartement luxueux du complexe très chic Hong Kong Parkview. Robert travaillait et continua à évoluer, intégrant Merrill Lynch, tandis que Nancy faisait du bénévolat à la Hong Kong International School et dans la synagogue qu'ils fréquentaient. En 1998, le couple eut un autre enfant.

Pourtant, malgré les apparences, Nancy affirma qu'elle avait mené une vie misérable à Hong Kong. Si c'était la vérité, l'épidémie de SRAS en 2003 fut une bénédiction pour elle. En mars, Nancy et ses enfants rejoignirent les hordes d'Américains quittant Hong Kong pour se mettre en sécurité dans leur pays d'origine. Laissant Robert mener sa carrière, elle s'installa dans la résidence secondaire de la famille dans le Vermont.

Alors que l'épidémie empirait et que les mois passaient, Nancy décida d'installer un home-cinéma chez elle. C'est ainsi qu'elle rencontra un électricien divorcé deux fois, du nom de Michael Del Priore, avec qui elle débuta une aventure. Comme Robert était à des milliers de kilomètres, ils passèrent l'été ensemble. Nancy offrit à son amant une montre à 5 000 dollars, un cadeau peu courant pour un homme vivant dans un mobil home. En août, l'épidémie de SRAS s'était calmée et Nancy et ses enfants rentrèrent à Hong Kong. Le couple reprit sa vie commune, mais Robert remarqua sans doute une différence dans la conduite de sa femme.

Soupçonnant qu'elle avait une liaison, il engagea un détective privé. Il n'eut aucun mal à découvrir la vérité, même s'il ne trouva pas de preuves matérielles.

Peu après, Robert fit de nouveau appel à lui. Cette fois, il voulait un conseil. Le banquier lui dit qu'il avait récemment bu un verre de scotch single malt au goût étrange. Après quelques gorgées, il s'était senti *« dans les vapes et désorienté »*. Le détective lui conseilla d'en faire analyser un échantillon, mais le banquier ne suivit pas sa recommandation.

Hong Kong, où l'épidémie de SRAS donna à Nancy une excuse pour rentrer dans le Vermont.

Nancy redouta que son mari ne l'ait percée à jour. Elle dissimula ses appels à Michael en faisant envoyer ses factures de téléphone à la Hong Kong International School. Cependant, sa prudence ne fut pas à la hauteur de la détermination de Robert. Il avait installé un logiciel espion sur tous les ordinateurs de la famille et put surveiller les e-mails et les recherches sur internet de son épouse. Il s'aperçut qu'elle avait tapé des mots-clés comme « overdose », « somnifères » et « médicaments provoquant l'arrêt cardiaque ». Et pourtant, il ne fit rien. Tout au plus, il confia à son ami et collègue chez Merrill Lynch, David Noh, qu'il avait peur d'être empoisonné.

COCKTAILS DE MÉDICAMENTS

Le 2 novembre, Andrew Tanzer, un voisin au Hong Kong Parkview, déposa sa fille chez les Kissel. Alors qu'il se préparait à rentrer, Tanzer but un milk-shake avec Robert. À peine revenu chez lui, Tanzer se sentit fatigué et s'étendit sur le canapé pour faire une sieste. Sa femme n'arriva pas à le réveiller pendant un moment, mais il finit par émerger. Il continua à somnoler jusqu'au dîner. Sa conduite devint de plus en plus étrange. Il sembla désorienté et se conduisit comme un enfant en affichant un appétit quasi insatiable. Avant d'aller se coucher, il perdit le contrôle de sa vessie. Le lendemain matin, Tanzer s'aperçut qu'il ne se souvenait pratiquement de rien de ce qui s'était passé après avoir quitté les Kissel.

Si l'expérience de Tanzer fut déplaisante, ce ne fut rien comparé à la nuit que passa Robert Kissel. Quand Andrew Tanzer se réveilla le lendemain matin, le banquier était mort depuis des heures. Le milk-shake que les deux hommes avaient bu contenait six médicaments, dont cinq venaient d'être prescrits à Nancy.

Il s'agissait de Stilnox, un somnifère ; d'Amitryptaline, un anti-dépresseur ; de Dextropropoxyphène, un analgésique ; de Lorivan, un sédatif et de Rohypnol, plus connu sous le nom de « drogue du viol ». Robert avait sans doute réagi au mélange comme Andrew. Mais Mme Kissel, à la différence de sa voisine, en avait profité pour assassiner son mari.

À 17 h, Robert, fatigué et ensommeillé, discuta avec David Noh pour préparer une audioconférence. Elle eut lieu une demi-heure plus tard, mais Robert n'y participa pas – il semblerait qu'il avait oublié. Curieusement, Robert appela sa secrétaire moins de trente minutes après. Ce fut la dernière fois que quelqu'un chez Merrill Lynch eut de ses nouvelles. Au cours de la soirée du 2 novembre, Nancy Kissel prit une statuette de 3,5 kilos et lui asséna cinq coups à la tête. Elle frappa Robert si fort qu'elle lui ouvrit le crâne.

Le cadavre resta dans l'appartement pendant trois jours, hors de la vue des enfants. Tandis qu'il se trouvait dans sa chambre fermée à clé, Nancy se mit à propager des histoires contradictoires. Elle dit à un médecin que Robert l'avait agressée le 2 novembre. Elle montra à une domestique des blessures qu'il lui aurait infligées. Elle ajouta que Robert vivait à présent à l'hôtel. Sa disparition fut très vite remarquée. David Noh fut troublé quand il s'aperçut que son collègue était injoignable : Robert ne répondait plus au téléphone. Une autre amie, Bryna O'Shea, s'inquiéta aussi. Consciente des problèmes conjugaux de Robert, elle appela plusieurs hôtels, pensant qu'il avait quitté Parkview. Le 6 novembre, ayant discuté avec elle, David avertit les forces de l'ordre.

L'ÉTAU SE RESSERRE

Les inspecteurs interrogèrent Nancy dans son appartement quelques heures plus tard. C'était son deuxième contact avec la police ce jour-là. Le matin, elle avait porté plainte contre Robert, affirmant qu'il l'avait agressée cinq jours plus tôt, parce qu'elle lui avait refusé un rapport sexuel. Sa tentative de créer un écran de fumée fut inutile. L'équipe d'entretien avait dit à la police que la veille, Mme Kissel lui avait demandé de déposer un tapis oriental dans sa cave. Il était si lourd qu'il avait fallu quatre hommes pour le descendre. Les inspecteurs partirent aussitôt chercher un mandat de perquisition.

Peu avant minuit, les policiers pénétrèrent dans la cave du Parkview. Ils trouvèrent très vite le cadavre de Robert. Comme ils le soupçonnaient, il avait été dissimulé – assez mal – dans le tapis roulé. Sa dépouille était emballée dans deux épaisseurs de plastique qui laissait cependant échapper une odeur de mort. À 3 h du matin, Nancy fut arrêtée et accusée du meurtre de son mari. Pendant des années à Hong Kong, elle n'avait fréquenté que la communauté des expatriés américains. À présent, elle devrait faire face à un jury composé de Chinois.

L'accusation la présenta comme une femme infidèle qui avait assassiné son mari afin de s'enfuir avec son amant. Les preuves contre elles étaient accablantes : la présence de ses médicaments dans le milk-shake ; le témoignage d'Andrew Tanzer ; et le tapis roulé que l'équipe d'entretien avait transporté à la cave. Devant ces indices et beaucoup d'autres, l'avocat de Nancy eut recours à la loi britannique, qui permettait à l'accusée de plaider la responsabilité atténuée si les circonstances entourant le crime sont extraordinaires.

Le témoignage de Nancy débuta le 1er août 2005. Elle livra alors un portrait détaillé d'un homme que les expatriés américains ne reconnurent pas.

Elle assura que son mari avait été cocaïnomane et alcoolique, qu'il la battait et la forçait à lui faire des fellations ou la sodomisait presque tous les soirs. Robert était si brutal au lit qu'il lui avait cassé une côte. Nancy expliqua ensuite ses recherches internet sur les somnifères, les overdoses et les médicaments entraînant des arrêts cardiaques. Elle les avait effectuées à un moment où elle pensait se suicider.

Elle poursuivit son portrait défavorable de Robert, disant devant la cour qu'il avait été un mauvais père. Quand elle était enceinte de leur dernier enfant, il avait voulu déclencher le travail pour que l'accouchement ne coïncide pas avec un de ses voyages d'affaires.

Un jour, il s'était aussi emporté après l'une de ses filles qui jouait bruyamment pendant qu'il téléphonait et lui avait cassé un bras.

Nancy reconnut sa liaison avec l'électricien du Vermont, mais ajouta qu'elle n'aurait jamais quitté son mari. Selon elle, ça n'aurait pas été le cas de Robert. Elle affirma que le jour de sa mort, il s'était trouvé sur le pas de la porte de la cuisine pendant qu'elle préparait les milk-shakes. Tenant une batte de base-ball « pour se protéger », Robert l'avait informée qu'il avait entamé une procédure de divorce. Il avait dit aussi qu'il garderait les enfants, car elle n'était pas apte à s'occuper d'eux.

Nancy raconta qu'elle et son mari s'étaient alors battus. Robert l'aurait frappée avant d'essayer de la violer.

Elle avait empoigné la statuette pour se défendre et lui en avait donné un coup sur la tête. Robert était tombé, assommé, mais quand elle avait tenté de le relever, il ne l'avait pas laissée faire.

Nancy et des membres de sa famille devant la Haute Cour du tribunal de Hong Kong pendant le procès.

Il s'était emparé de la batte de base-ball pour la frapper aux jambes. À cet instant, Nancy se tut. Elle affirma qu'elle ne se souvenait plus de la soirée, ni des jours suivants.

Son témoignage souleva un tollé dans l'accusation. On lui demanda pourquoi elle n'avait jamais signalé les violences qu'elle subissait, y compris à des médecins. Et pourquoi personne n'avait jamais vu de traces de blessures ?

L'histoire de Nancy perdit encore en crédibilité quand la bonne des Kissel déclara sous serment que Robert n'avait rien à voir avec le bras cassé de leur fille. Il n'était même pas à la maison quand l'accident s'était produit.

Le 1er septembre au soir, le jury rendit son verdict à l'unanimité : Nancy fut déclarée coupable de meurtre.

Selon la loi de Hong Kong, la peine obligatoire était la perpétuité. Comme leur mère a été jugée coupable de l'assassinat de leur père, les trois enfants hériteront un jour des biens de Robert Kissel, estimés à 18 millions de dollars.

ÉPILOGUE

- **Signes alarmants** : Eut une liaison extraconjugale ; se mit à croire que son mari la soupçonnait.

- **Découverte capitale** : Interrogatoire de l'équipe d'entretien qui venait de transporter un tapis dans la cave des Kissel.

- **Défense** : « Je vais bien sur le plan psychiatrique. Je ne souffre d'aucune maladie mentale. De la dépression ? Oui. De la tristesse, des remords ? Oui. Souffrir d'une tragédie ? Oui. »

- **Condamnation** : Prison à perpétuité.

© Tous droits réservés.
Imprimé en France en mars 2012
Par l'imprimerie Corlet à Condé-sur-Noireau
ISBN 978-2-36581-001-2
Dépôt légal : mars 2012
Première édition : mars 2012
Tous droits réservés